DATE DUE FOR RETURN

L'AIMÉ

Du même auteur

Aux mêmes éditions

Faims d'enfance
1987

Chez d'autres éditeurs

Du créole opprimé au créole libéré
Défense de la langue réunionnaise
L'Harmattan, 1977

Quartier trois lettres
roman
L'Harmattan, 1980

AXEL GAUVIN

L'AIMÉ

roman

ÉDITIONS DU SEUIL
27, rue Jacob, Paris VI

ISBN 2-02-011179-9

Première partie

1

Première – mais sèche à casser – rafale de vent. Premières feuilles arrachées. Pas de ces lasses de vieillesse – entières peut-être, mais vides et jaunes. Au contraire : déchirures de tendre, débris de limbes tout neufs, lambeaux vert soutenu – la force de l'âge...

Premiers écartèlements de branches vives.

Margrite n'en revient pas : un si bon beau temps, il y a quelques minutes à peine ; hier au soir, pas le moindre pied de vent ni même de banal nuage, pas de cuivre au couchant. Et là !...

Façon de dire que dire qu'elle n'en revient pas : elle n'a pas le temps de n'en pas revenir et s'en étonnera vraiment tout à l'heure, quand les deux vieux caleçons du vieux, le vieux drap du vieux, sa robe grise à elle, son petit linge, bref sa lessive qu'elle a présentée ce matin aux rayons de maintenant défunt soleil – et qu'en moins de deux cette sacrée bourrasque déchirerait – sera jetée sur le pliant de toile verte qui ne sert plus qu'à ça depuis longtemps. Elle s'en étonnera, quand le fer-blanc à boire sera rempli à l'eau claire du tuyau qui, pour l'instant – jusqu'à ce que la crue embourbe la source et brise la mère canalisation –, coule encore. Un fer-blanc seulement, car pour les réserves à lessive, cuisine et toilette, elle a cette chance d'un grand vieux bassin moussu, dessous sa treille de grenadille, et qui est plein jusqu'à ras bord. Elle s'en étonnera quand elle aura embusqué le cabri dans la cuisine, donné l'allonge qu'il faut à Dame Caoudin (aux huit bons litres de lait par jour malgré son irascible caractère de mâle), quand, enfin, elle aura cloué au travers des quatre ou cinq portes plus branlantes que les autres de cette immense maison (qui en possède bien une vingtaine) une grande traverse de bois récupérée d'on ne sait quel chantier.

En ce moment, bras tendus, elle essaie (dans sa deuxième robe grise qui la gêne aux aisselles) de fixer un bout de planche sur la porte de la petite chambre de derrière. Elle cogne du calou[1] de cuisine sur ces pointes à planches qui, hélas ! s'enfoncent bien trop facilement, et ne tiendront donc probablement pas tête au cyclone s'il insiste moindrement pour entrer dans la maison.

Car il n'y a pas à s'y tromper : il est déjà au bout de l'allée de palmistes, le grand Coup-de-vent. Il est là, Craven « filtre » à la bouche, souliers bouts pointus aux pieds, en vrai crâneur qu'on devine derrière ses lunettes fumées... Lui, qui s'est grouillé pour venir au ravage, laisse maintenant aux chenapans qui l'accompagnent – poussées d'averse et mèches de vent – le plaisir d'égrener feuilles et fruits, de piétiner les quelques pauvres fleurs. Mais dans quelques instants, sans rien dire, comme à l'économie, il te fera calmement le coin de la maison, s'arrêtera devant ces volets pourris. Alors jettera rageusement le mégot. De la main gauche saisira le dormant, le tirera vers lui. Dans le joint que cela fera, glissera sa droite et *crac !*...

Elle n'a pourtant pas la trouille, Margrite. Non, pas la

1. Pilon en français.

10

trouille ! Elle te dira qu'en 32, le seul toit qui restait sur sa tête à elle, celle de son petit Joseph, celle de Sylvert – l'autre vieux qui, lui, avait eu l'usage de sa jeunesse – était un lit de fer qu'elle avait renversé et auquel ils s'accrochaient tous les trois comme possible ; qu'en 45, elle avait passé toute la nuit à tenir la bascule d'une fenêtre qui se prenait pour un avion en partance ; qu'en 48, elle avait dû grimper dans la charpente, comme un vrai jacquot[1], pour échapper à cette crue de ravine qui montait, montait, montait...

Pas la trouille, Margrite : un peu de pessimisme dessous l'ironie. Ni le premier ni la seconde n'empêchant cette exaltation devant le danger, la mobilisation de l'énergie pour l'accomplissement des tâches essentielles. De quoi – et même un peu plus – s'y mettre, puisqu'il le faut. Et seule :

Gaby, son homme de cour (et de champ quand ses quelques gaulettes carrées de canne[2] ont besoin d'autres mains), l'immense Gaby est parti au bon beau temps d'onze heures. Il ne reviendra pas avant lundi. Mane-ti, le petit bâtard[3] indien-chinois avec ses trois poils de barbe au menton et sa démarche de savate à semelle de bois (il tient le commerce du tournant au-dessus. Plus gentil, il n'y a pas, et serviable comme pas deux !), Mane-ti a fort à faire à garantir sa vieille boutique et son stock de marchandises. Huguette Siméon, la voisine la plus proche, a dû déjà taquer-retaquer ses volets neufs de grande maison de nouveau riche. En ce moment même, elle écoute le temps à la radio ou bien houspille sa mère, la pauvre madame Nièl, qu'elle oblige à parler jetumoi[4] et qui vient de faire sa cinquante-et-unième faute de français de la journée. Quant au vieux...

1. Singe.
2. A sucre.
3. Métis.
4. Français (en mauvaise part).

11

Le vieux, son mari – ce vieux qui avait six mois de moins qu'elle –, Margrite n'y avait même pas pensé, du moins en tant qu'aide possible ! Le vieux, Margrite l'imagine entrebâillant à peine, entre deux rafales, la porte donnant sous la varangue, la refermant brusquement au moindre éclair, au moindre frémissement du manguier, au plus petit soupir de la charpente. Il entrebâille donc la porte, regarde apeuré, la bouche mâchant à vide, comme récitant des prières – il y a des moments où même un vieil athée, lecteur assidu de *La Calotte* et franc communiste de surcroît, regrette de ne pas croire en Dieu ! Il regarde en caponnant, prie sans parole et, au premier semblant de menace, referme brusquement. Dix fois, vingt fois, il l'a déjà ouverte et refermée, cette porte. Dix fois, vingt fois, il a tenté de se rassurer et s'est donné une frayeur plus grande encore.

Margrite l'imagine aussi tressaillant, même porte fermée, à chaque grincement qu'émet sur la tôle en saillie du toit l'archet de cytise, cette branche que Gros-gaby n'a pas encore eu le temps de couper, et qui est maintenant écorchée sur vingt bons centimètres : l'ampleur du coup de bras du vent violoniste...

Comment compter sur « ça », pense Margrite. Surtout que rien il ne veut – ne sait – faire. Même pas rincer la cuvette sur laquelle il vient de se raser. Rien, à part me barboter un œuf tous les jours, qu'il gobe tout cru – la dégoûtation ! – en se cachant comme un enfant voleur derrière le coin de la case. A part aussi regarder par-dessus ses lunettes les petites femmes qui passent au chemin... Jalouse ? Moi, Margrite Bellon, jalouse ? Dis ! Comme si j'avais accepté ce vieillard pour amuser mon temps ! Et si tu entendais les insanités qu'il margrogne – ou même gueule – à ces pauvres femmes depuis la varangue ? J'en ai jusqu'à honte !... Le courage de ce genre de cochoncetés, il ne l'aura même plus bien longtemps, hélas ! Et comme les choses vont, et au train où elles vont, je serai bientôt obligée de gaver, d'essuyer et torcher Monsieur... Dire que par faiblesse j'ai fini par l'épouser. Je savais bien pourtant, quand il a débarqué chez moi, avec sa voiture noire – qu'il n'est même plus capable de faire rouler – et son armoire à la porte clouée (cadenassée et clouée, comme s'il avait le trésor des Kerveguen à garantir !), je savais bien qu'il ne cherchait plus qu'une bonne, ou pire qu'une garde-malade pour ses vieux jours !...

Tout en passant aux volets de sa propre chambre, aussi pourris que les précédents, Margrite s'imagine déjà emmanchée d'une sénilité à bouillie, d'un cadavre vivant, au lit étendu vingt-six heures sur vingt-quatre :
– Mais je te parie qu'il lui restera encore assez de voix pour gueuler : « Marguerite ! Le pot, j'ai besoin du pot ! Marguerite, j'ai soif ! Et après la soif, la faim ; après la faim, les lunettes ; après les lunettes, les médicaments. Mais fichtre ! Quand est-ce que j'aurai le temps de respirer, moi ! Épailler ma canne ! Traire ma vache et récolter mes haricots !... Mon vieux Bénard, je te fais serment que si tu ne me laisses pas le temps de vivre, je me mets au lit de mon côté et je te réponds gueulement pour gueulement. Ou pire : pour un « Marguerite, j'ai soif », deux ou trois « Bénard, j'ai faim ! », et peut-être même, en prime, un « t'as pas vu le pot de chambre ; tu pourrais pas, Bénard, avec ta canne, me pousser le pot de chambre au moins jusqu'à la porte »...

Si le « vieux » appelle Margrite par son prénom qu'il articule à la française (« Marguerite », en insistant bien sur le « gue », sûrement pour faire son « homme d'affaires [1] », peut-être aussi pour montrer qu'il a des lettres ; qu'il prononce

_____
1. Son intéressant.

13

d'après les livrets, les registres, les extraits, et non pas simplement d'oreille comme les analphabètes, un peu comme ces musiciens « de partition » qui méprisent ceux « de routine »), par contre, rien d'autre que Bénard, le nom de famille du « vieux », n'avait jamais pu sortir de sa bouche à elle.

« ... Mon vieux Bénard, si tu me fais cela, je me monte sur le lit et n'en décolle plus. »

Elle rit, Margrite, dont la vieille robe grise colle aux os (elle n'a pas pris d'imperméable : que pourrait son vieil imper en plastique incolore, que pourrait le meilleur des impers contre une telle rincée ?). Elle rit de se voir jouant le rôle de la vieille impotente. Et, s'il ne lui restait encore trois ou quatre ouvertures à clouer pour barricader – pour essayer de barricader, de retenir, de caler – le cyclone dehors, elle s'allongerait là, dans cette eau que la terre damée autour de la grande case refuse de boire, elle s'allongerait dans cette mare comme sur un lit de comédie. Avec la latte qu'elle tient à la main, elle tenterait – toujours riant – de tirer vers elle un pot de chambre imaginaire (quelque rameau cassé, quelque mangue roulée, mieux : cette moque vide flottant à la surface de l'eau et venant – déjà ! – d'on ne sait où)...

Sa consolidation de misère terminée, Margrite a toutes les peines du monde pour entrer dans la maison : toutes les issues en sont clouées du dehors ou barrées du dedans, et elle a beau appeler le vieux de toutes ses forces : oreille de porc aux gros pois ! De réponse, point !

Peut-être se terre-t-il, le barbon, dessus son lit. Dessus ou dessous, qui sait ? Peut-être, après tout, est-il vraiment tombé en prière au milieu du salon ? Mais qu'il ait ou non trouvé son chemin de Damas, Margrite s'en fiche. Il n'y a plus aucune raison pour qu'elle reste dans la pluie et le vent ! Elle se met à te cogner sur la porte d'entrée à coups redoublés de calou de pierre...

C'est un vieux doublement affolé – du cyclone et des craquements de la porte – qui vient lui parler à travers la porte :

– C'est toi, Marguerite ? il chevrote.

– Mais qui veux-tu donc que ce soit ! Ouvre ! Et dépêche-toi !

Le vieux finit par s'exécuter. Margrite rentre.

Dans la maison, il n'y a rien à ajouter à l'obscurité qui est complète : malgré l'heure de plein jour et le disjointement de toutes les planches, il fait comme nuit, et ce vieux qui n'a même pas réussi à s'allumer la lampe à pétrole ou ne serait-ce qu'une bougie ! L'empoté !

Margrite connaît bien le Bénard. Elle sait que sa trouille va vite lui dicter des reproches. Or elle n'est pas prête à en supporter. Pas aujourd'hui. Elle décide de se garantir en attaquant la première, et de méchante façon pour une fois, au niveau de sa trouille même justement :

– Ça promet, elle dit en riant.

– Marguerite. Ne dis pas cela Marguerite...

Le vieux roule des yeux apeurés. Sans rien ajouter, Margrite traverse, dans le noir, ce grand salon aux trois quarts vide et qui est tombé (depuis si longtemps, il est vrai, qu'il doit s'en être fait une raison) du haut de capanés de camphre, de fauteuils en bois de rose, de tables basses à enluminures, même d'un petit buffet Compagnie des Indes, aux tabourets du Gol[1], aux caisses à savon bourrées d'almanachs, de vieux journaux, de boîtes vides de médicaments – les collections du « vieux ».

Dans le noir, elle tâtonne jusqu'à la salle à manger où, après s'être essuyé les mains à un vieux torchon, elle trouve les allumettes. Elle en craque une, repère la lampe à pétrole...

Malhabile et geignant, le vieux l'a suivie. Margrite se dirige

---

1. Empaillés. Du nom de l'étang où pousse le jonc, matière première de l'empaillement.

15

vers sa propre chambre, lampe à la main. Le vieux ne la quitte pas d'une semelle. Elle entre et, sans se retourner, ferme la porte derrière elle. Il était temps ! Elle allait céder à la pitié.

– Mais tu te vois, Margrite, le rassurant, le cajolant presque : « Et ça ne sera probablement rien. C'est la pluie qui promet... Comme d'habitude le cyclone passera sur Maurice ou Madagascar ! S'il était pour nous, on aurait vu, hier au soir, le pied-de-tourmente et du cuivre au couchant... Tu n'as pas trop froid, au moins ?... » Dis, Margrite Bellon, te verrais-tu, trempée jusqu'aux os comme tu es, demandant à ce capon au sec : « Tu n'as pas froid ? »

Et Margrite, tout en s'essuyant du vieux torchon, essaie, avec les mimiques indispensables (mais à voix plus que basse) de trouver le ton le plus amène : « Tu n'as pas froid ? », « Tu n'as pas trop froid ? », « Tu n'as pas trop trop froid ? »

– C'est qu'il serait prêt à accepter ça, ce vieil égoïste. Et peut-être, avec, prendrait-il du « mon chéri » en guise de matière grasse ! « Mon chéri – mots que Margrite n'avait jamais ni pensés, ni prononcés –, mon chéri, tu n'as pas trop froid ? »

Elle se fait rire, Margrite, dans la barbe qu'elle n'a pas. Elle se fait rire, jusqu'au moment où il lui faut prendre la seule robe qui lui reste de sec, celle qu'elle s'est fait faire d'urgence à la mort de son pauvre Joseph.

Alors, comme souvent, mais tellement fort aujourd'hui, Joseph lui revient à la tête et au cœur. Si tendre, si beau, si fragile, Joseph. Cette tête de mule de Joseph ! Comment voulait-il qu'elle saute de joie devant pareille décision ? Margrite ne lui avait pourtant fait aucun reproche. Mais ces quelques secondes d'hésitation qu'elle avait eues !... Mettez-vous aussi à sa place : votre grand garçon, qui semble ne jamais s'intéresser aux filles, arrive un beau soir et vous apprend, comme ça, tranquillement, qu'il va se mettre en concubinage. Cela peut surprendre, n'est-ce pas ? Et quand il vous annonce le nom de la future, et si vous savez qu'elle passe pour être, non seulement à moitié folle, mais aussi la seule vraie putain du village, celle qui fait « ça » pour de l'argent, même si vous n'avez jamais tenu la chandelle, même si vous n'avez pas aidé à compter les honoraires, bref : même si vous vous méfiez des ragots, l'hésitation est permise.

Le temps pour elle de se demander comment réagir, et le visage de Joseph s'était fermé. Le temps d'essayer alors, vite, vite, de trouver ce que peuvent bien dire les mères sensées dans ces occasions-là, et la porte était définitivement verrouillée.

Oh ! il n'avait pas fait de scandale. Mais aux vœux de bonheur enfin trouvés – qu'elle pensait, oui, qu'elle pensait – il avait répondu par des « Oui, bien sûr, oui, bien sûr » si distants, que rapidement les mots s'étaient séchés dans sa bouche à elle.

Alors, pour essayer de tout détruire – leur compréhension avait été trop absolue pour qu'à la moindre faille il n'éprouve le besoin de tout briser –, alors lui :

– Je vais me coucher, si ça ne te dérange pas.

Et il l'a quittée le lendemain, en laissant la majeure partie de ses vêtements, tous les outils de mécanique qu'elle lui avait achetés – et qui commençaient à lui permettre de bien gagner sa vie.

Au moment du départ, Margrite voulut l'embrasser : il se laissa faire. Elle lui dit qu'elle l'aimait. Il en eut – elle l'aurait juré ! – les larmes aux yeux. Non seulement cela ne l'empêcha pas de partir – Margrite n'avait pas fait sa déclaration pour cela –, mais de le faire de cette façon si brutale qu'il avait décidée.

2

Joseph était revenu la voir. Trois fois en neuf ans ! Et toujours seul.

Margrite lui parlait de choses et d'autres, de petits riens : de
la nouvelle vache qui n'était peut-être pas très commode mais
qu'elle avait payée une poignée de riz, de Grand-gaby qui,
après l'avoir une dernière fois aidée à son bout de champ,
s'était engagé pour l'Indochine ; de... Oh ! pas pour détourner
la conversation, ni pour meubler, même pas pour être comme
si rien ne s'était passé : pour le plaisir de lui parler, la joie
d'entendre sa voix en retour.

Margrite – qui était malade de son fils, de son absence, des
remparts qui s'étaient dressés entre eux deux – savait aussi
qu'il lui fallait à tout prix, sous peine de gâcher le pauvre restant, tenir la promesse qu'elle s'était faite de ne jamais lui parler la première de la seule chose importante à ses yeux : son
bonheur. Comme lui ne parlait jamais de soi, elle cherchait
toutes sortes d'indices pour savoir s'il avait du goût à sa vie,
ou plutôt pour confirmer son espoir qu'il l'eût.

A sa première visite, Margrite avait remarqué – alors qu'elle
n'attachait que peu d'importance à sa propre mise, à celle des
autres – que les vêtements de Joseph, quoique neufs, ne sen-
taient pas le magasin, la chemise vite achetée pour la nécessité
qui s'impose ; que ces dits vêtements étaient d'une grande propreté et bien repassés. Elle s'était aussi aperçue que la peau des
doigts de son fils était épaisse comme doit l'être celle d'un vrai

mécanicien, que quelques gerçures – les plus profondes – avaient conservé ces indécrassables traces de cambouis, que ses ongles, par contre, étaient propres, qu'il était rasé de près. Il travaillait donc et ne se négligeait pas : bon signe ! De même, elle avait constaté, la deuxième fois, qu'il avait un peu grossi – ce qui ne lui allait pas mal. Bon signe aussi.

La première fois, par-dessous un peu de gêne plus que compréhensible, il avait été, à Margrite, facile de voir que, malgré la joie qu'il avait de l'autre, « il en restait un peu pour sa mère ».

La deuxième fois, plus détendu, plus proche d'elle, heureux, il avait même dit ceci, exactement ceci :

– Moi aussi je t'aime.

« Aussi », alors qu'elle ne lui avait clairement déclaré – du moins en mots – son amour maternel qu'une fois dans sa vie, il y avait près de cinq ans à ce moment-là.

Elle fut alors à deux doigts de lui dire d'amener sa femme, qu'elle brûlait du besoin de la connaître en vrai, autrement que de vue – par ses passages, avant, dans le chemin du bout de l'allée. Elle ne le fit pas, pensant qu'il la lui amènerait de lui-même quand il en éprouverait le désir. Ou alors qu'il finirait bien par l'inviter, elle, ce qui lui permetttrait de savoir au moins où, et comment, habitait son fils.

Elle attendit longtemps sa troisième visite. Très longtemps. C'était un dimanche d'octobre. Le 3 octobre. Joseph n'était pas vraiment maigre, mais avait perdu nombre de kilos. Elle le trouva soucieux. Il resta peu de temps, l'embrassa et s'en fut, la laissant bouleversée.

Elle ne le revit ni vivant ni mort. Un jour, le vieux, qu'elle venait d'épouser, lui montra dans le journal *Le Prolétaire*, auquel il était abonné, le faire-part du décès datant de plusieurs jours déjà, signé de « la cellule Marcel Cachin » – cellule que le vieux ne connaissait ni d'Ève ni d'Adam – de leur trésorier Joseph Bellon. Le court encadré de noir plein de louanges ne laissait aucune place à l'homonymie si fréquente au pays. Il ne parlait ni de femme ni d'éventuels enfants. Non plus du lieu de l'enterrement qui était déjà passé. Il ne faisait mention que de « circonstances dramatiques ».

– Comme s'il pouvait y avoir des circonstances non dramatiques pour mourir ! avait marmonné le vieux en guise de tout commentaire.

C'était il y a quatre ans. La robe noire que Margrite tenait entre ses mains, elle l'avait fait faire très vite, dans l'après-midi même où elle avait appris la disparition de son fils. Elle l'avait gardée cette première nuit passée à veiller dans sa chambre, seule et pleurant, devant l'unique photo qu'elle avait de lui. Elle l'avait portée le lendemain matin jusqu'au cimetière où reposait le vieux Sylvert. Là, si elle avait annoncé la triste nouvelle au père de son enfant, si elle avait longtemps pleuré sur la tombe de famille où son fils aurait dû être enterré, elle alla surtout – à la dérive – dans les allées étroites et sinueuses, s'arrêtant de longues minutes, hébétée, devant ces croix qui ont perdu leur nom.

Cette robe, elle l'avait ensuite lavée et rangée, puis avait repris les vieilles de demi-deuil qu'elle portait depuis la disparition de Sylvert. Mais ne se passait un jour sans que, pour un prétexte ou un autre – aujourd'hui c'était la robe noire, hier un fruit qu'il aimait trop, avant-hier ce mot qu'il déformait tout enfant – le chagrin ne vînt lui faire sa mauvaise visite...

Une plainte plus nette derrière la porte – car le vieux est là derrière cette porte sans loquet, baignant dans sa caponnerie, et n'osant ni ouvrir ni frapper – fait céder Margrite au découragement. Mais qu'il vienne vraiment, ce cyclone ! Qu'il fasse éclater ces volets pourris ! Et *hop* : à la ravine ! A la ravine, cette vieille case toute déglinguée ! A la ravine, ces bardeaux

en charpie ! A la ravine, la dentelle de tôle qui vous hame-
çonne au passage ! Et ces pannes et chevrons qui vous
poivrent, en nuit et journée, de chiures de cariats[1] – probablement de vieilles chiures et de cariats envolés depuis longtemps : que trouveraient-ils encore dans ces poutres qu'ils
avaient eux-mêmes vidées, n'en laissant plus que la peau sans
les os ?

A la ravine le tout, héritage ou non de l'oncle Calixte. A la
ravine, et de la ravine à la mer. Et le vieux avec ! Et elle aussi
dans le tas !

Mais aurais-tu donc, Margrite, perdu le goût de la vavangue
mûre ? De ce melon qui se mange au sel et poivre et dont tu
n'es plus que seule à garder la souche ? Celui de la prune malgache si âcre, ferme et – par on ne sait quelle magie ! – sucrée
en canne-bonbon quand on l'a pétrie entre les doigts ? Et le
goût de la rosée aux chevilles, celle de ces petits matins que le
toussotement rend encore plus frais ?

Un autre gémissement du vieux agace maintenant Margrite
et la ramène au combat. Elle enfile rapidement sa robe, prend
tout son courage, ouvre vers le vieux. Ses probables jéré-
miades, ses quasi certaines lamentations, elle les attend de
pied ferme. Elle souhaite presque des récriminations. Pour lui
dire son fait, à celui-là. Mais rien ne vient. Elle avance alors
d'un pas, lampe à la main, attend que Bénard s'écarte – et il
s'écarte, et ça n'est pas tous les jours qu'il s'écarte ! Alors Margrite passe.

Margrite s'imagine bien que rien n'est fini pour autant. Elle
s'attend encore à des plaintes. Mais, sans doute plaintive, ce
fut une supplique qui arriva :
– Marguerite, la cuisine !

1. Termites.

21

Margrite sait évidemment où le vieux veut en venir : aucun vent ne pourrait venir à bout de la cuisine [1], bâtie en dur, avec des murs épais « comme ça ». Le vieux veut qu'ils s'y réfugient. Mais Margrite n'a pas du tout l'intention de céder devant sa panique. Ni envie d'aller se mouiller encore pour les beaux yeux de la belle trouille à Bénard. Ni de se retrouver, des heures durant, dans dix mètres carrés, face à ce vieil aigri, égoïste et caponneur de surcroît. Elle cherche et trouve l'argument qu'il faut pour souffler le problème :

– Mais, Bénard, si en y allant une bourrasque nous emportait ?

Après quelques secondes de peur panique, le vieux essaie de manger son angoisse comme il peut. Il se remet à son guet à la porte donnant sous la varangue. Celui lui permet d'ailleurs de tourner le dos à Marguerite qui est si méchante – cela ne l'empêche pas de se rassurer périodiquement en vérifiant d'un coup d'œil qu'elle est bien toujours là.

Elle, qui (malgré ce que rumine Bénard en ce moment) a bon cœur, bon fond, pousse au sec une caisse d'almanachs Vermot (le vieux y tient tant !) que deux gouttières nouvelles, dégoulinant leur eau rouillée, sont en train de tremper en soupe. Elle se met en devoir de trouver une casserole sans manche – il n'y en a pas d'autres –, une vieille cuvette de tôle, un arrosoir à lait vide, pour parer l'eau gouttant des principaux trous du toit.

– Marguerite : quelqu'un...
Comment pourrait-il annoncer cela, le vieux, sinon gorge serrée et d'une voix plus tremblante de peur encore ?
« Marguerite : quelqu'un...
Et dans son affolement, il referme brutalement la porte.

---

1. Qui, dans l'architecture traditionnelle réunionnaise, est construite à l'extérieur de la maison.

Comme pour un éclair. Une rafale de vent. Le diable – auquel, en principe, il ne croit pas, mais dont on se débarrasse plus difficilement que du Bon Dieu.

Quelqu'un ! Qu'est-ce qu'il ne va pas inventer dans sa frousse ! Margrite se croit pourtant obligée d'abandonner sa chasse aux fuites et de venir rouvrir elle-même. Personne ! Que la pluie qui chasse et qui a, bien entendu, mouillé toute la varangue, murs compris. Et, aux carreaux ébréchés du sol, aux planches pourries du soufflage, aux vieilles colonnes cannelées, multitude de débris de limbes frais collés que le premier rayon de soleil racornira sans réussir à faire tomber.

Donc, personne !

Personne... Non, il y a bien quelqu'un qui appelait timidement à l'autre porte et qui maintenant s'approche. C'est un homme. Il est petit, malingre, poli. Semble plus gêné qu'autre chose. Pas de quoi s'affoler pour un sou. Margrite l'invite à entrer. Il refuse. Il veut par contre qu'elle vienne. Elle s'appelle bien Margrite Bellon ? Alors, dans son taxi – il est chauffeur de taxi – il y a un enfant pour elle. (Un enfant ! l'étonnement de Margrite qui pourtant ne dit rien ! Un enfant ! Rien que ça ! Les cyclones qui accouchent d'enfants maintenant !)

Margrite ne connaît pas d'enfant, ou alors les petits mioches du coin pour leur avoir donné une bêtise (un bonbon, une banane, une grenadille), bref un petit voisin qui n'a aucune raison d'arriver jusqu'à elle en taxi.

L'homme insiste : il a vraiment dans sa voiture un petit bout de personne humaine qu'elle ne peut pas ne pas connaître, puisqu'on lui a demandé de le conduire ici ; même qu'il a été payé d'avance pour cela. Il faut donc qu'elle vienne et que quelqu'un l'aide à porter l'enfant jusqu'à la maison. Il faudrait aussi le protéger de la pluie, d'autant plus qu'il est malade.

« Il est malade ! » Margrite n'hésite plus. Vite un imperméable... Mais la seule chose de vraiment imperméable est la nappe cirée. Lampe à pétrole en main, elle se précipite vers la salle à manger. De sa main libre elle prend l'ananas qui siège tout seul et tout nu au beau milieu de la table, le pose sur la première chaise venue, tire la nappe...

Margrite est déjà sur le pas de la porte. Elle se ravise : ce n'est que pour enfiler au plus vite son imper de plastique en lequel elle n'a aucune confiance, mais enfin, son dernier linge sec, elle le porte déjà.

Sans rien entendre du vieux qui voudrait tenter de protester (« Laisser un vieillard seul par un temps pareil ! »), elle rejoint l'homme qui attend.

Dehors, la désolation est plus profonde qu'on aurait pu le supposer. A quelques mètres de la varangue, des mangues par milliers tapissent déjà le sol. L'allée est jonchée de branches brisées. Des bananiers cassés en deux amènent leurs régimes trop jeunes jusqu'à la boue. Et la tourmente qui ne donne pas l'air de vouloir s'apaiser.

Ils avancent tous deux lentement, se tenant aux fûts des palmistes-fleurs. Le chauffeur a bien pensé aider Margrite, mais comme celle-ci se débrouillait aussi bien sans lui, il n'a pas insisté, sauf pour franchir le ponceau au-dessus du fossé que le flot submerge. Il lui a aussi ouvert la porte de sa 203 toute neuve et allumé le plafonnier.

Sur le fauteuil arrière, une couverture recouvre totalement une forme de corps d'enfant. Est-il vivant, cet enfant ? Mort ? Margrite a un moment de recul, puis rabat le coin de laine qui cache le visage :

– Joseph !

C'est le vrai visage – aussi fin, aussi maigre – de son Joseph à douze ans !

– Vous le prenez ? demande l'homme.

24

Quelle question ! Bien sûr qu'elle le prend !

« Heureusement pour lui, dit l'homme.

Et sans se soucier de l'enfant qui – Dieu merci ! – ne peut entendre, il ajoute :

« Sa mère est morte aujourd'hui même.

3

Grand-mère – Margrite est trop heureuse d'être ainsi appelée – s'approche de Ptit-mé, son petit.

Van de bambou au flanc (et vannure de chou de Chine,
amuse-gueule pour Dame Caoudin, la vache, en remerciement
de ses huit bons litres de lait quotidiens), elle se penche jusqu'à Ptit-mé. Elle se courbe jusqu'à son oreille, que Grand-
père Bénard, crâne lisse, lunetté de vieille écaille, assis à
l'autre bout de l'ombrage du manguier, n'entende – plutôt
puisse faire semblant de ne pas entendre – et ne relève la tête
de dessus son journal.

Alors, elle murmure :

– Nous irons, tu verras. Nous irons...

Et puis plus bas encore, encore plus complice :

« Avant le petit jour, nous volerons notre départ. Pas un
mot à quiconque... même pas à Grand-père ! Notre ballot
caché depuis la veille. Riz jaune et rougail-saucisse dans la
petite marmite emballuchonnée. Piment rouge et limonade-
grenadine... Et nous voilà partis.

Le sourire de Ptit-mé ! Et ce ne sont pas ces joues creuses et
grises, ces yeux enfoncés dans leurs cernes violâtres, ce gros
coussin derrière la tête qui l'attristeront, ce sourire, ni terni-
ront la joie de Grand-mère en retour : la mort est bien remisée,
ou bien elle en emportera d'autres. Pas Ptit-mé, pas lui.

A Ptit-mé il ne reste plus, sur le point des dix heures –

Grand-père tient beaucoup à cette ponctualité – qu'à se faire porter, y compris pliant de toile verte, par l'immense Grandgaby à la marge de l'ombrage et du soleil. Grand-père tient aussi beaucoup à ce partage entre ombre et lumière, que la tête puisse reposer au frais et les os décharnés des jambes se redurcir à l'ardence (« les ultraviolets, Marguerite ! Les ultraviolets ! La vitamine antirachitique ! »).

Reste aussi à Ptit-mé, heureux, à se faire, non pas chouchouter, mais simplement entourer par Grand-mère. Pas d'emphase sentimentale : le silence plus parlant. Ou filigrane comme en :

– Nous irons, tu verras, nous irons...

Le sourire de Ptit-mé ! Car Grand-mère lui parle et lui promet Vincendo – et la promesse de Grand-mère est plus vraie que Saint-Sacrement.

Vincendo ! Vous rendez-vous compte : Vincendo ! Cela ne vous dit-il donc rien ? Vraiment rien ? Gens du dehors que vous êtes ! Oui, du dehors ! Ptit-mé fait sa langue au monde comme il le comprend. Pour lui, il y a la vie du dedans, et la « vie » – puisqu'il faut bien lui donner un nom à ce truc-là – du dehors. Son dehors n'est ni celui de France, celui du dictionnaire, ni celui de Réunion : un autre rivage d'océan. A lui, dedans est plein – mieux : remplissant –, et dehors est vide. Dedans est ouvert, dehors se ferme. Dedans se mesure en rires et quelquefois larmes de joie, dehors en gaule d'angoisse et de précipice.

Dedans est fait du ronchonnement de Grand-père, qui n'est pas vraiment son Grand-père pour de vrai, qui n'est que le second mari de Grand-mère, mais qui l'aime, à qui il doit – deux fois ! – la vie. Dedans est fait des bras énormes de Grandgaby, de ses énormes battoirs de mains qui sauvent et rassurent. Du sourire, triste et rare, de Papa (puisqu'il peut y avoir des parts de dedans sous la terre). Dedans est fait de Grand-mère en entier.

Et Manman ? Manman serait forcément dedans, car dedans est justement chaud comme des bras de mère, lisse et doux comme sein de mère. Mais il n'a pas de Manman, du moins il ne s'en connaît pas. Il ne connaît que la loule[1] qui n'a pas de bras, mais des griffes de grappins à cannes ; pas de sein, ou de la corne épaisse de talons pieds nus dessus, comment savoir ? Dedans est indispensable, et la loule ne sert qu'à lui donner des frayeurs à suées dès qu'il est seul, surtout la nuit – cauchemars dont Grand-mère même ne se doute pas !

En tout cas qu'elle ne revienne plus ! Il prie et croise les doigts qu'il ne la voie plus, plus jamais. Et si Grand-mère ne s'était mise entre lui et son malheur ? Alors il souhaiterait qu'elle arrive au contraire, et que – dans sa soûlaison – elle l'étouffe et l'écrase au lit, comme elle a écrasé Petite Sœur.

Mais au diable la tristesse, la rancœur ou le mal-goût de vivre. Ptit-mé trouve maintenant plus que des demi-raisons à son nom familier. Enfin ! Car pour être petit, il l'avait toujours été pour son âge. Et maigre, et chétif, et malingre. Et Ptit collait bien. Mais Aimé ! Cet Aimé de l'état civil qui avait été contracté en mé ?

Alors sobriquet ! Dérision d'amour ? Mais son père ne l'avait-il pas toujours adoré ? Et si, par hasard, elle, elle l'aimait, quand ils l'avaient déclaré à la mairie ? Puis quand le diminutif avait été, non pas inventé, mais, comme tout bon « petit nom », ajusté, dégauchi, retouché, poli, et tellement patiné qu'il devient la seule dénomination n'écorchant pas la langue de ses proches, ses vrais proches : ceux qui lui ont taloché les fesses, « soutenu » les vices, ou avec lesquels il a fait les quatre cents coups ? Et si elle l'aimait en ce temps-là ?

Question inutile, malade, car Ptit-mé a maintenant Grand-mère, aussi extraordinaire que Papa la lui décrivait, qui

---

1. Esprit malfaisant.

déborde de tout pour lui, et même de Vincendo – ce Vincendo
dont il ne connaissait pas le nom il y a deux mois à peine, et
qui a déjà pris place au plus profond, plus clair, plus chaud du
« dedans ». Vincendo et son miel sourçant des craquelures de
la canne. Son sirop dégoulinant de l'éclatement du letchi. Ses
bananes grosses en bras de grand et jambe de petit. Son soleil
qui sait tout : de tendresse à la peau jusqu'à fer brûlant la lessive à peine étendue. Et sa lune, mère d'étoiles ! Et ses feuilles
tombées qui ne pourrissent, mais se dentellent en jupon de
poupée ! Ses coulures de petites citrouilles que magie fait cheval à galoper jusqu'au soir !

– Dis ! Il y a des lapins, à Vincendo ?

Grand-mère sait que Ptit-mé a un faible pour les lapins –
tellement qu'elle lui en amène un, de temps en temps, à caresser dans son fauteuil –, aussi n'hésite-t-elle pas à lui parler des
lapins de Vincendo :

– Des lapins ! Bien sûr qu'il y a des lapins ! Des noirs au
poil doux ! Des blancs aux yeux roses, si tendres que tu ne
peux même pas les manger. Tu mourrais de faim que tu n'y
toucherais pas...

Très vite Grand-mère n'a plus rien à dire des lapins. Ça
n'est pas une raison pour gaspiller cette envie que Ptit-mé a de
sa parole et de sa voix. Elle n'a plus de lapin ? Tant pis : elle
servira du lièvre ! – qu'elle accommodera à son sens de
l'image, à son rire, à ses mimiques, à ses grimaces. Elle te sau-
tera comme lui, le lièvre, dans le fatak[1] à la recherche de rosée,
s'ébrouera dans la savane imaginaire... Ptit-mé n'y verra que
du bon.

« Un jour que j'étais assise dans l'herbe, à surveiller – pour
le plaisir, car nous étions riches, tu sais ? – notre troupeau de
cabris, un de ces levrauts est venu à deux pas de moi. Il dan-

1. Herbe de Guinée.

sait et redansait, faisait des casse-cou, des sans-touche. Je le regardais, ravie. Arrive le tonton Calixte, son fusil, sa meute de bâtards ! Le lièvre était si soûl de cabrioles et de rosée qu'il ne pouvait fuir. J'ai saisi mon petit bonhomme aussi vite que j'ai pu, et l'ai caché tout tremblant dans ma robe retroussée. Les chiens, que l'odeur du gibier mettait hors d'eux-mêmes, m'ont encerclée, menacée de leurs crocs. Je me suis mise debout à toute vitesse.

« Je savais que, l'oncle présent, ils ne m'auraient pas mordue. Mais je peux t'assurer que j'ai passé un mauvais moment, les jambes à l'air, devant le vieil oncle pudibond. La compensation, quelques instants plus tard, de voir compère Lièvre regambader au milieu des cabris ! Et le lendemain ! Et les jours suivants !

En parlant de cabris : à Vincendo, le laiteron est si épais, si riche, que les cabris en pètent dans leur graisse. Oui : en « pètent » ! Ça n'est pas un mot, même celui-là, même pire, qui ferait peur à Grand-mère :

– Il n'y a pas de gros mots, il n'y a que des oreilles sales. Un cœur propre est comme la feuille du sonje[1] que rien ne peut mouiller : tu peux y verser tout le péché que tu veux dessus, il n'en sortira pas taché pour autant.

Alors, pourquoi ferait-elle des manières pour dire qu'à Vincendo les cabris pètent dans la graisse ? Surtout que c'est vrai – oui vrai, même pas exagéré, simplement présenté de la bonne manière : celle qui fait lever un franc bon sourire au visage de Ptit-mé !

Ce visage, Grand-mère, quand les circonstances le lui permettent (et Grand-mère, pour une fois, sait se créer des circonstances, malgré ce travail qui se croirait urgent, cette obligation de voisinage), ce visage, Grand-mère le dévore des

_____
1. Taro, à la feuille enduite de cire qui la rend imperméable.

yeux. Lors de certaines de ses expressions – de mélancolie par exemple –, elle a toutes les peines du monde à le quitter du regard. Elle le fait cependant, car elle ne veut ni gêner ni troubler le petit, le perturber à la longue – mais le temps qu'elle ne le voit pas n'est que de la vie perdue.

Elle se rattrape quand il dort, soit de jour, à l'heure de la sieste sous le manguier, soit même la nuit. Ses corvées du soir terminées, avant même de faire sa toilette, elle prend sa lampe à pétrole et son tabouret. Des quelques doigts restés libres, de l'épaule et de la fesse, elle ouvre – elle réussit à ouvrir et sans faire de bruit – la contre-porte de la chambre d'Aimé, pose sa lampe sur la caisse qui sert de guéridon, son derrière à elle sur le petit tabouret...

Elle regarde alors son petit – le petit de son petit –, le contemple, l'admire.

– Goûte, Margrite ! Goûte ! Ce calme en lui ! Cette paix en son visage ! Non pas le portrait de Joseph, mais Joseph lui-même... avant cette femme.

C'est justement quand il a ce calme, que Grand-mère aimerait que Ptit-mé lui parle de Joseph. Qu'il lui dise quel père exceptionnel Joseph était ! Et combien ils étaient heureux ensemble ! Que Manman (Manman aussi), qui faisait les meilleurs beignets à la banane du monde, était la meilleure mère du monde ! Puis que l'accident (pourquoi pas un accident ?) est arrivé à Papa, que Manman ne s'en est jamais remise... Voilà ce qu'elle aimerait, Grand-mère, que son Aimé lui raconte...

Extraordinaire qu'il ne parle jamais, mais jamais, ni de son père ni de sa mère. Sait-il au moins qu'il n'a plus de mère ! Aurait-il – endormi – ce calme, – éveillé – ce rire, s'il savait que sa mère est morte il y a moins de deux mois de cela ?

Mais tout à coup : un tressautement des paupières, un

gémissement plaintif, puis la convulsion des membres. Le corps entier qui se cabre, se tord. Et le cri, le hurlement. De terreur, d'angoisse.

– Non ! Non !

Ptit-mé crie. A pleine bouche, à pleins poumons. Toujours dormant.

Sans hésiter – tant pis s'il se réveille : il ne sortira que plus vite de son cauchemar – Grand-mère lui prend la main, la caresse, lui caresse le visage. Ptit-mé, immédiatement, se calme.

– Marguerite ! Marguerite ! Qu'est-ce qui se passe ?

– C'est rien, rien !

« Voilà le Gaétan Bénard qui débarque ! » pense Grand-mère, un peu agacée. Débarquer est façon de dire, car il ne se lèverait à aucun prix, le vieux, si bien il est sous sa couverte : rhumoir, pissoir, médicaments et – tout athée qu'il est – vieille bible noire de couverture et dorée sur tranche à portée de la main. « Je suis sûre qu'il la serre contre sa poitrine, la nuit, sa bible » ! sourit Grand-mère.

– Marguerite ! Tu as entendu ce cri ?

« Oh la la ! il me faut aller le rassurer, celui-là, qu'il ne finisse en gueulant par déranger mon petit !

Grand-mère ouvre la contre-porte de Ptit-mé, sort, referme presque et, dans le peu de lumière que laisse passer le léger entrebâillement, se dirige vers la chambre du vieux, jusqu'à sa porte à lui :

– C'est Aimé, elle dit en approchant sa bouche de la jointure laissée par la chute du dormant. C'est Aimé : il a des cauchemars.

Grand-mère a inconsciemment mis « cauchemar » au pluriel.

« C'est vrai que cela lui arrive plus souvent que je ne le pensais, elle s'inquiète en regagnant son tabouret.

Le visage d'Aimé a repris tout son calme. Joseph, c'est vraiment Joseph. Le calme de Joseph !

La similitude de ce visage et de celui de son fils perdu avait frappé Margrite, dès qu'elle avait, dans la lumière du plafonnier, relevé le coin de la couverture qui recouvrait cette forme humaine alors énigmatique.

Ce geste, Grand-mère ne l'avait pas fait sans une certaine appréhension : seuls les cadavres sont ainsi recouverts, et Grand-mère avait beau en avoir vu dans sa vie, en avoir enterré des gens, proches ou voisins (des « fièvres paludéennes », des « tambaves » carreaux [1], des « accidents », un « meurtre » même), découvrir un nouveau cadavre ne lui était pas indifférent pour autant.

Et voilà que le visage qui apparaissait, était, endormi et paisible, avec vingt ans de moins, celui de son Joseph.

Mais la voix du chauffeur, gênée, qui vient tout démolir :
– Je n'ai pas osé vous l'avouer, mais il est déjà froid.

Le sang de Margrite alors se figea : et si ce sommeil n'était que le dernier ; si cette sérénité n'était que trop totale ? Elle mit la main sur le front de l'enfant : il était réellement glacé. Margrite crut qu'elle allait perdre connaissance. Elle se ressaisit : refusant d'accepter la catastrophe pourtant évidente, elle essaya d'ouvrir une paupière du petit. Un frémissement fit renaître l'espoir en elle.

– Il est vivant, elle exulta presque. Il faut tout de suite l'emmener à l'hôpital.

Et comme le chauffeur demeurait incrédule, elle prit sa main, la mit sur la poitrine du gosse : le cœur battait distinctement.

1. Dysenterie.

33

L'homme, sans rien dire, se remit à son volant. Grand-mère s'était déjà installée à l'arrière, la tête du petit, qu'elle essayait de réchauffer de ses mains mouillées, sur ses genoux.

Le taxi démarra vers la ville tout en bas...

Le vent battait la pluie sur le flanc que la voiture lui présentait. Un flanc et puis l'autre, au bon vouloir du serpentin de route dégringolant à la plaine. L'eau, que les roues faisaient gicler des flaques, cognait durement le plancher de tôle. Malgré la faible allure à laquelle il avançait, le taximan sentait bien qu'à l'un ou l'autre de ces maudits tournants sa 203 lui échapperait des mains, qu'elle finirait sa vie de voiture – et eux leur vie d'êtres humains – dans un de ces contrebas qui se cachent dans l'averse. Il suffirait d'une bourrasque sous le bon angle, dans une épingle suffisamment dénivelée...

Faire demi-tour ? Il n'en était pas question. Courage ? Ou générosité ? Ou un quelconque sens du devoir ? La destinée, oui ! A partir du moment où il avait lui-même mis la main sur la poitrine de ce gosse, qu'il avait vérifié qu'elle montait et descendait encore, aucun sentiment, aucun obstacle autre que matériel n'aurait pu l'arrêter. Dieu – mais s'il n'avait pas été croyant le mot seul aurait changé – lui envoyait une catastrophe, il risquait d'y perdre son gagne-pain, sa vie, et la question n'aurait même pas pu se poser de ne pas « y aller ».

Cette attitude, Grand-mère l'avait eue aussi, depuis le moment où cet envoyé de la Providence et la Fatalité réunies lui avait parlé d'enfant malade jusqu'au moment où elle avait soulevé la couverture. Après, après c'était bien autre chose. Après, un immense espoir s'était saisi d'elle. Espoir que l'immédiate peur qu'il soit déjà mort n'avait pu éradiquer.

Elle s'était assise sur la banquette où se trouvait déjà l'enfant, lui avait posé la tête sur ses genoux, et là, dans le noir – le chauffeur avait dû, au bout de deux virages, tout en s'excusant, éteindre le plafonnier –, elle s'était mise à caresser le petit – son petit déjà – pour tenter de le réchauffer sans doute, aussi pour se rassurer, aussi de tendresse et d'amour mis à l'angoisse.

Ce ne furent plus ces sentiments qui prédominèrent quand le chauffeur lui dit qu'il leur était impossible de continuer, qu'il leur fallait faire demi-tour, mais un sursaut de révolte. Puis vint le désespoir.

« La pompe à sang a manqué te lâcher, Margrite, quand tu as compris que le taxi ne pouvait vraiment plus avancer ! » se remémore Grand-mère dont le rire ne couvre qu'en partie l'angoisse encore bien vivante.

Juste aux pieds de la Butte – là, où de mémoire de vieux, il n'y avait jamais eu la moindre filasse d'eau ! –, cette ravine vous barrant la route de son flot de boue, de débris végétaux. Elle avait donc changé d'avis, la nature. Elle avait décidé, comme ça, que nappes de pluie glissant des cours et des potagers, survoquements des bassins se rassemblant au gré de petits bouts de plus grande pente, dégorgements des fossés, se réuniraient, pour t'opposer au bout l'infranchissable, l'arrache-cœur !

Non, ce n'était pas au chauffeur de taxi prétexte à demi-tour : il n'a pas abandonné de suite. Tu le revois encore – la pluie avait cessé, miracle inutile, et les premiers curieux de ce fleuve inattendu arrivaient déjà –, tu le revois, descendant de voiture, retroussant ses pantalons, les remontant jusqu'aux cuisses, s'avançant avec prudence dans le courant, tâtant du pied nu le fond d'asphalte, mesurant la profondeur de l'eau aux décimètres de membres inférieurs... Et ton espoir qui s'enfonce au fur et à mesure que cette soupe de feuilles et de terre liquide monte le long de ses jambes...

Le chauffeur souhaitait vraiment passer. Et puis, l'accordéon de son pantalon commençant à se mouiller, toute possibilité – lors d'une éventuelle tentative de traversée en voiture – de ne pas étouffer le moteur ayant disparu, il se retourna, déçu, vers toi qui, toujours Ptit-mé demi-allongé sur les genoux, guettait par la vitre baissée. Il laissa tomber les bras en te regardant. Ton cœur cessa de battre.

Tout d'un coup, changeant d'avis, certainement pour essayer de forcer à pied le passage – on trouverait bien une autre voiture de l'autre côté ! –, il se retourna vers le fleuve de boue, fit un pas, deux pas. Ton cœur se remit à te cogner dans la poitrine. Sur la rive opposée, un curieux, maigre et chauve, torse nu, pieds dans l'eau, cria au chauffeur quelque chose que tu n'entendis pas, mais qui fit s'esclaffer tous les autres. Ton chauffeur, sans rien répondre, avança encore de quelques pas, puis fit définitivement demi-tour. Il ouvrit sa portière, se rassit à son volant :

– Il n'y a vraiment pas moyen, il dit.

Ton bellier[1], Margrite, gueulait dans sa cage de côtes et de peau. Tu as cru la dernière heure venue de ton Ptit-mé dont tu ne connaissais, alors, même pas le nom !

« Le désespoir t'a bien mangé cinquante ans de vie ce jour-là, pensa Grand-mère – en riant car elle avait consommé cette espérance depuis fort longtemps... Brave type quand même que ce chauffeur ! Mais où le retrouver ? Pour le remercier bien sûr, lui offrir, pourquoi pas ? ce beau coq à cou nu, ou cette paire de jeunes pintades que tu lui sacrifierais sans peine même si, à chaque fois que tu quittes la maison, elles te suivent toujours jusqu'à l'extrême bout de l'allée comme deux chiens fidèles. »

Et maintenant, Ptit-mé est là. Il dort dans son lit pliant de toile verte. Il est vivant. Il est guéri. Il sourit souvent, même

---

1. Oiseau tisserin.

dans son sommeil. Si ce n'était ces cauchemars qui reviennent encore quelquefois, tu dirais qu'il est totalement heureux.

Gaétan Bénard, chapeau rabattu sur le visage – ce qui découvre l'arrière de sa calvitie – ronfle dans sa chaise longue. Tu aurais, il y a bien peu, pour un tel bousin, pris ton van[1], les haricots que tu y écosses, ton petit bois-de-cul de tabouret, et tu serais allée te réfugier sous le pied de Bois-Noir à l'autre bout de la cour. Et tu aurais ri, façon de ne pas pester, de ce vrombissement de moucharbon, ce décollement d'avion à hélice, cette nuisance à l'oreille, foutor misère d'un sort ! qui t'a poursuivie jusque-là. Aujourd'hui, tout absorbée par la contemplation du petit, mais aussi – sois honnête Margrite ! – par la reconnaissance que tu lui dois maintenant, à ton vieux, c'est par miracle presque que tu t'en fasses la remarque !

Ptit-mé dort. Tu ne le quittes plus des yeux sans cesser ton travail : tes doigts connaissent par cœur la cosse de haricot et tout seuls, machinalement, la trouvent, l'ouvrent, la vident... quand tu ne les surprends pas à purement paresser. Mais que peux-tu bien leur dire, alors, à tes doigts ? Ne te surprends-tu pas toi-même, yeux ronds et bouche béante, devant le sommeil de ton petit ?

C'est vrai qu'il est si beau quand il dort ! Et son visage si émouvant par ce mélange de toute jeunesse – tu penses qu'il devrait avoir douze ans : lui, au regard si vif, ne sait même pas son âge ! – et d'adulte déjà ! C'est Joseph à dix et vingt ans ! Joseph en plus frêle malgré tout. Ni plus ni moins fragile. Très fragile.

Il va bientôt se réveiller : qu'est-ce que tu pourrais lui trouver comme bêtise à se mettre illico sous la dent ? De mangue, pas une seule en cette année toute ravagée des cyclones. Les vavangues sont encore loin devant. Et il en a tous les jours de

1. A prononcer « vanne ».

la banane – à en être ragoulé à la fin ! Ou alors, tiens ! une cuite sous la cendre chaude, servie dans sa peau que le jus bouillant a fait éclater ! Je crois bien qu'il aimerait ça. Et au repas, que lui donneras-tu comme bon gros manger fortifiant, qu'il se refasse la chair autour des os, qu'il retrouve son courage[1] ? Un pousse-passe de volaille ? Un sosso[2] ? Oui, mais attention, de maïs ! Car le maïs, comme chacun sait, vous soutient mieux que le riz.

Et que vas-tu lui raconter pour amuser son long temps d'alitement ? Pourquoi pas du diamètre – des vraies roues de voiture ! – qu'atteignaient ces nids de guêpes qui te sont revenus, à l'instant, de Vincendo à l'esprit. De leur diamètre et grosseur, des ouvrières qui te grouillaient là-dessus comme fourmis autour de valal[3] mort, et qui, tout en se caressant gentiment le visage de leurs pattes avant, les perfides, te fourbissaient par-derrière leur aiguillon, le sortaient, le rentraient pour ne pas le laisser se rouiller dans la gaine...

« Donc, Ptit-mé, Gros-père[4] Antoine-Joseph, mon père, avait sa façon à lui de les dénicher, ces guêpes : la simple fumée de sa cigarette. Il est vrai qu'elles n'étaient pas n'importe quoi, les cigarettes de Gros-père Bellon ! A l'époque où les autres étaient obligés de se contenter de ces minables mégots qu'eux-mêmes roulaient, lui, s'offrait des Manufactures ! Il les achetait par dix, que le Chinois emballait dans une feuille de vieux journal. Une fois, deux fois, trois fois dix, dans une seule journée. Même quand il a été complètement ruiné, il n'a jamais essayé de s'adapter aux cigarettes à faire :
– Une Manufacture par semaine, plutôt que ces boyaux de rat collés à la bave, il disait.

1. Force, énergie.
2. Bouillie.
3. Criquet.
4. Arrière-grand-père.

Gros-père Antoine-Joseph, donc, quand il avait repéré aux branches d'un arbre un nid de guêpes, s'approchait, cigarette au bec. Il avançait lentement, prudemment, et dès qu'il voyait que les sentinelles jaunes commençaient à se mettre en garde, il renversait la tête en arrière, et main sur le chapeau que celui-ci ne tombe, il te lançait par les narines un jet précis de boucane en plein milieu du guêpier.

Elles en oubliaient leur dard, les soi-disant guerrières, essayaient de se boucher le nez avec leurs pattes, finissaient par se mettre à tousser, à cracher. Au bout du compte, elles étaient bien obligées de s'envoler. Alors, Gros-père s'avançait tout en continuant de boucaner (et toujours par les narines, mais dans toutes les directions maintenant : c'est qu'elles revenaient tous azimuts sus à lui, les saletés !).

La fumée les aveugle à nouveau. Elles pleurent, étouffent, sont obligées de se poser à quelque distance. Alors Gros-père Antoine lance son chapeau loin derrière, et des deux mains : « Kap ! » il leur arrache le nid.

« Kap ! » Il disait immanquablement : « Kap ! » Et il ajoutait : « A nous la bonne friture ! »

– Écoute-moi bien, Ptit-mé Hoarau : monsieur Antoine-Joseph Bellon, propriétaire de l'établissement qui brasse les cannes de Saint-Philippe à Petite-Ile, tirait le nid de guêpes à la fumée de cigarette !... « Kap ! A nous la bonne friture !... » Il y a toujours eu un petit grain de folie dans la famille ! Comment veux-tu que « les autres » n'en aient pas profité ! En moins de deux encore ! Ils sont venus avec leurs Craven-bouts-dorés, ils ont soufflé leur boucane sur le « nid » Bellon, et... « Kap ! », à eux les bons moulins à cannes, les immenses carreaux de terre autour !...

« ... En parlant de folie, tonton Calixte l'avait au degré au-dessus, la folie. Les guêpes, lui, il les endormait à sa vieille odeur de chiens et de sueur mélangés. Il faut dire qu'il ne se lavait pas souvent, 'Ton Calixte. Jamais probablement. Du moins à Vincendo, parce qu'il avait bien changé sur ses vieux jours. Ma Grand-mère à moi, sa mère donc, disait qu'il attendait – il avait fait la guerre de 1870 – l'occasion de revoler au secours de l'empereur pour se laver de nouveau à la neige fondue. Et puis il dormait avec ses chiens !

« Avec les intérêts de sa part d'héritage (il ne savait même pas que cela rapporterait des intérêts !), 'Ton Calixte, tout près de la Grande Maison (Antoine-Joseph, mon père, l'aîné de la famille, lui en avait bien entendu donné l'autorisation), s'était fait construire une espèce de cuisine, une sorte de calbanon plutôt. Chose extraordinaire (mais, dès que tu pourras marcher, je t'en montrerai l'exacte réplique dans notre propre cuisine), quand tu ouvrais la porte de ce calbanon, à part quelques peaux de lièvre, vieilles vestes et vieux pantalons pendus aux poutres, son fusil – quand il n'était pas à la chasse –, chose extraordinaire, tu trouvais, en plein milieu du sol en terre battue, une grosse pierre ronde et lisse, une sorte de crâne chauve immense – mille fois la tête à Grand-père Gaétan !

« 'Ton Calixte disait que cette pierre était sa véritable maison. Que le toit dessus n'était là que pour lui cacher les étoiles dont la lueur l'empêchait de dormir ! En tout cas, c'était sur cette pierre qu'il s'asseyait pour, assiette dans le creux de la main, manger ce que Manman – 'Ton Calixte refusait de venir à table avec nous – m'envoyait lui porter au repas du soir. Du soir seulement, car dès Véli, l'étoile Quatre-Heures, jusqu'à la tombée du jour, lui et sa meute étaient introuvables.

« C'était autour de ce crâne chauve, à même le sol, qu'ils dormaient tous ensemble, oncle et chiens. Mais je vais te confier quelque chose – tu ne le répéteras à personne, promis ! : moi aussi j'en étais, et plus d'une fois encore ! Dès qu'on m'avait mise au lit, dès qu'on avait éteint la lampe à pétrole, je débasculais ma porte en silence, sortais pieds nus,

courais silencieusement sur les grandes dalles de l'allée bordée
de pluies d'or et d'immenses fougères cornes de cerf, et j'allais
gratter à l'unique battant du calbanon. Les chiens me recevaient en poussant des petits cris de joie, et l'oncle un grognement de malvenue. Mais au fond de lui, il était fier et heureux,
Tonton Calixte. Il allait me chercher une sézi de vakoi [1], qu'il
déroulait contre la pierre, et je m'endormais collée contre elle,
la tête posée sur les pieds cornés de l'oncle, qu'aucune chaussure ne mettait jamais au bloc, avec, en guise de couverture,
ses chiens, ses chiennes, toute sa meute de roquets.

« Personne n'en a jamais rien su, sauf Louisette, la lingère.
Mais comme elle m'aimait bien...

« Pour en revenir aux guêpes, à distance raisonnable du nid,
'Ton Calixte posait son fusil à plat sur le sol. Avec ses ongles, il
se raclait aux aisselles toute l'odeur possible de vieille sueur,
de transpiration rancie, se l'étendait sur le visage, s'en friction-
nait les bras, les cheveux. Puis il avançait, calmement. Elles
s'écartaient devant lui, les malheureuses guêpes. Il leur volait
case et enfants, et elles ne disaient rien, hébétées qu'elles
étaient par ces relents que j'étais seule à supporter. Et lui aussi,
kap ! – il ne disait pas kap !, il ne disait d'ailleurs pas grand-
chose à cette époque-là – mais, kap ! d'un geste rapide et précis, il t'arrachait le guêpier.

« 'Ton Calixte, laissant le tourbillon jaune dans la broussaille à la recherche du nid perdu, s'asseyait sur ses talons à
côté de son fusil. Il défaisait pièce après pièce la construction
de papier mâché ; il mangeait crues les larves qu'elle contenait,
du moins si celles-ci n'étaient qu'en rouleau [2]... Les nymphes,
il trouvait qu'elles ressemblaient trop à la Vierge Marie, ce qui
l'obligeait à faire le signe de croix avant de les sortir de leurs

1. Natte de feuilles tressées.
2. Asticot.

alvéoles, à ne pas les manger, mais ne l'empêchait pas de les lancer à ses chiens.

« Ils étaient là, autour de lui, ses complètement, totalement bâtards, ses Royal Métis – comme Gros-père les appelait. Dégoulinant de bave et remuant la queue, ils te happaient ça !

5

« Il commence à bien se remplumer, mon petit !... Tiens : il a, plus que Joseph, les pommettes de Sylvert ! Il doit être heureux celui-là, si, de là-haut, il peut le voir, notre Aimé. Oui, de là-haut : tout considéré, il l'a sûrement mérité, son paradis. Pas si chien que cela, le vieux Sylvert ! Ainsi, t'a-t-il, toi Margrite, quoique son deuxième lit, t'a-t-il vraiment rendue malheureuse ? Et te déranges-tu jusqu'à sa tombe à la Toussaint uniquement pour, comme d'autres veuves de ta connaissance, te rassurer en revoyant le nom de ton défunt mari écrit sur la croix ?... Le bonheur t'aveugle, Margrite. Complètement. Tu ne peux avoir oublié ces dimanches soir où Sylvert, ivre comme un porc...

« Doucement : " Il " bouge. " Il " ne va pas tarder à se réveiller. Il faut que j'aille vite mettre la banane à cuire. Tant qu'à faire j'en mettrai une aussi pour Grand-père qui, depuis tout à l'heure, nous regarde en faisant semblant de ne pas. C'est qu'il attend sa gâterie, tiens ! Mais dis, Grand-père, tu as toujours eu ta part jusqu'à maintenant ! Allez va, je te dois bien ça ! »

« Mais s'il me faut servir, continue de penser Margrite – pour en revenir au positif, et sourire tout en n'oubliant pas le bienfait – s'il me faut servir des bananes cuites à tous ceux à qui je dois respect, bonjour et reconnaissance (le chauffeur de taxi, le docteur, Grand-gaby, Grand-père...), il vaut mieux que je fasse cuire le régime tout entier !... »

44

Le vent et la pluie ont complètement cessé, quand le taxi rentre au ponceau de l'allée. Grand-gaby, vêtu d'une veste de treillis récupérée de son engagement militaire, est revenu plus tôt que prévu. Il est là, armé de son sabre à cannes, du panier de bambou tressé. Il commence à dégager la cour des palmes pendantes, des branches cassées mais encore vives, des fruits tombés de la sève à la boue. Il voit « Matante Margrite » essayant de sortir un gosse du siège arrière d'un taxi. Il se précipite.

Dans ses bras, Grand-gaby – sans poser, se poser de questions – prend le petit corps glacé, le soulève, et, suivant Margrite qui vite ouvre le chemin, le transporte dans la chambre, le dépose sur le lit, puis reste là, dans un coin, les bras ballants, inutile. Margrite aussi – à part cette compresse d'alcool sur la grosse enflure qu'elle vient de découvrir au bras droit du petit – ne sait quoi faire. Aussi n'a-t-elle que des gestes mécaniques qu'elle défait aussitôt, parce que sans réelle signification : elle couvre l'enfant, le découvre, tente de fermer son col sans bouton puis le rouvre, se lève du bord du lit pour lui chercher de l'eau à boire, se rassied de peur que cette eau ne lui soit contraire...

Elle est pourtant tisanière, Margrite Bellon, et bonne tisanière. Elle pourrait soigner nombre de maux dans toutes les parties du corps, la tête et le ventre, jusqu'au plus profond des os. Encore faut-il qu'il y ait des maux ! Mais cette maladie sans diarrhée, sans vomissements, sans fièvre même !... Au contraire, un glacement de la chair trop marqué de la mort pour ne pas la précéder...

Margrite dérive à l'enfer. Mais tout d'un coup, le vieux se décide. Il était, jusque-là, resté sans rien dire, appuyé sur sa canne, à l'embrasure de la contre-porte. Oubliant qu'il avait

l'intention d'éclater le scandale des scandales (« laisser un vieil infirme comme moi, en plein milieu d'un cyclone, sans manger de surcroît ! »), il entre dans la chambre de son pas mal assuré, se dirige vers le lit, met la main sur le front du gosse :
— Il faut absolument faire venir la fièvre, il dit.

Dans d'autres circonstances, Gaétan Bénard aurait commencé un long développement théorique. Il aurait affirmé, dans un premier temps, que la conclusion qu'il venait de dénoncer n'était pas basée sur un préjugé quelconque, par exemple la résolution de l'antinomie entre maladie et baisse de la température. Dans un deuxième temps, il aurait prouvé qu'elle était fondée, ladite conclusion, sur des connaissances réelles de l'hypothermie et de ses dangers. Dans un troisième, il aurait démontré l'importance au contraire – mais dans certaines limites – de l'hyperthermie (la fièvre en termes banals) dans le ralentissement, voire l'inhibition de la croissance bactérienne.

Il préfère ne rien ajouter, aujourd'hui. Non par reste de bouderie. Probablement par respect pour Marguerite et son angoisse. Ou tout simplement « pour ne pas déranger ».

« Pour ne pas déranger » aussi, il se met dans un coin à la tête du lit et laisse Marguerite « procéder ».

Grand-mère ne comprend pas pourquoi il faut que la température vienne, sinon qu'une maladie ne peut la faire descendre. Elle n'a pas davantage confiance en Bénard, malgré toutes ses lectures médicales – dictées par sa trouille de la maladie, sa frayeur de la mort ! Mais une solution, quelle qu'elle soit, s'ouvre enfin devant elle. L'enfant est si mal ! Elle ne peut hésiter : en quelques secondes, elle recouvre le petit corps de tout ce qui peut chauffer, réchauffer : le vieux pull d'août, son unique couverture, tous les draps de l'armoire...

« Mais tu te rappelles, Margrite Bellon, comme ton sang a

failli se cailler, quand cette saleté de fièvre a encore refusé de s'amener ! Pour une fois qu'on avait besoin d'elle, impossible de la trouver ! Le petit allait y rester ! Joseph qui recommence son agonie, et cette fois-ci devant tes yeux ! Mais Dieu, me l'enlever une fois ne t'a donc pas suffi ! Quel air suppliant tu devais avoir, quand tu t'es tournée à nouveau vers le vieux !

– J'ai lu quelque part, il dit calmement, que le meilleur moyen de faire monter la température est d'envelopper le malade dans des couvertures trempées dans de l'eau bien chaude, si chaude que tes mains arrivent à peine à supporter. Tu perces[1] bien. Tu enroules le malade dedans...

Alors, immédiatement, Grand-mère, qu'aide Grand-gaby, de mettre au foyer de la cuisine d'immenses marmites d'eau puisées à la réserve. Et ce bois mouillé du cyclone qui refuse de s'enflammer ! qui ne sait que boucaner une âcre fumée noire !... Sainte Vierge ! faites donc que ce feu finisse par prendre !... Faites, je vous en supplie !

L'eau est à peine chaude, que Margrite voudrait déjà faire les premières compresses. Elle se retient : « bouillante », Bénard a dit, « bouillante ». Mais aux premiers bouillons qu'elle bout, cette eau, Margrite t'y trempe un grand carreau de vieille couverture vite coupée au couteau de cuisine (pas le temps d'aller trouver ces maudits ciseaux !), te l'essore en le tordant de toutes ses forces (s'y brûle, mais n'y prend garde), t'y enveloppe le petit. Trempe déjà le deuxième carreau, le tord à son tour. Ne désentortille l'enfant que pour le réenvelopper. Elle recommence et recommence. Que toujours le gosse soit dans le chaud, le brûlant.

– Que bouille enfin son corps, comme il devrait pour une maladie aussi grave ! espère (supplie plutôt) Grand-mère.

– Que soit inhibée la mitose microbienne ! pense le vieux.

---

1. Essores.

« Il a eu raison », dit le médecin de l'hôpital, chef du service de réanimation, quand, bien après – Ptit-mé avait alors passé le plus mauvais cap –, Grand-mère lui avait raconté cette séance d'essorage et d'enveloppement. Et ce « Il a eu raison » avait transformé un barbon acariâtre, gourmand, caponeur, en un vieux savant à peine bourru, sachant aussi apprécier la vie. Un vrai parent – pas ce mari qu'il n'avait jamais souhaité être, que Grand-mère n'avait pas recherché –, mais un genre de cousin ramené par les circonstances, auquel on passe tout : d'abord ses plaisanteries de mauvais goût au passage des jeunes et jolies femmes, puis son avarice à ne pas donner un franc pour le ménage, ses petits vols mesquins (cet œuf qu'il gobe tous les soirs en se cachant, ces biscuits qu'il s'achète et fait inscrire sur le carnet de crédit de Margrite), enfin sa trouille de mourir qui, l'aveuglant, le pousse à récupérer tous les restes de médicaments du voisinage et surtout à les ingurgiter « à l'avance », car il n'est jamais malade.

Ingurgiter, le mot est plus que mal choisi : il se les administre sérieusement, le Gaétan Bénard, après se les être prescrits sérieusement, c'est-à-dire en suivant à la lettre la « posologie minimale » (le « traitement chronique » ou la « dose d'entretien » ou le « titre préventif »), ce qui a aussi l'avantage de faire durer plus longtemps et de rejoindre ses soucis d'« économie » :

– Ce serait si regrettant de voir tout cela gaspillé !

Gaétan et ses médecines ! Gaétan et ses agaçantes collections « pharmaceutiques » ! La première de boîtes de médicaments vides qu'il range avec soin dans des caisses à savon par laboratoire d'origine (« Ici Roussel-Uclaf, ici Rhône-Poulenc, ici tout Beaufour... »). La deuxième d'ampoules – vides aussi : consommant au fur et à mesure d'assez rares arrivées, Gaétan ne fait que peu de réserves ; la troisième enfin, des notices classées, dans des cartons à chaussures – après vérification dans un Vidal de l'avant-dernière édition qu'un pharmacien de Saint-Denis lui a donné.

– Il te prescrit le médicament qu'il faut... si tu arrives à lui donner le nom de ta maladie, Grand-mère disait ironique, avant.

Avant le « Il a eu raison » du médecin. Depuis, elle fermait les yeux, passait sur, comprenait. Et même « le » regardait d'un autre regard. D'un regard empreint d'admiration, de reconnaissance, peut-être d'un rien de tendresse. Aussi ne pouvait-elle plus l'appeler par son nom de famille. Ne disposant plus d'aucun nom pour « lui », pendant plusieurs semaines elle ne l'appela pas, préférant accourir au plus vite – malgré la fatigue des veilles à l'hôpital – quand il lui criait de son lit ou de son pliant : « Marguerite, tu n'aurais pas vu mes spartiates ? » ou « Guette un peu si ça n'est pas le car de quatre heures qui passe ? » Comme si, avec sa montre qu'il regarde tout le temps, il avait quelque chose à faire du car de quatre heures !

Dès son retour de l'hôpital, Ptit-mé lui donna la solution en disant spontanément « Grand-père », appellation que Margrite adopta dès qu'elle lui fut suffisamment familière.

Pour l'instant, Bénard s'est pris une chaise et il est au chevet du petit malade auquel la température revient. Il ne dit mot, ne fait même pas de sourire vainqueur : sérieux de Pasteur et modestie de Claude Bernard, Grand-mère, elle, exulte ! Elle rit toute seule sans prononcer une parole. La température grimpe ! Elle grimpe, mais ça n'est pas pour cela que Grand-mère ira relâcher son effort, ni pour ses mains rouge sang qu'elle continue de tremper, retremper dans l'eau brûlante, avec lesquelles elle continue de tordre, retordre ses carrés de couverture.

49

De ses mains qui, de toute façon, vont perdre leur peau, personne ne se soucie et même pas Grand-mère, ni le vieux qui a osé – cela le démangeait depuis longtemps – demander le thermomètre à alcool pour le mettre, planchette comprise, sous le bras du petit.

Des mains de Grand-mère, personne ne se soucie, excepté Grand-gaby :

– C'est à mon tour maintenant, Matante, il dit en prenant la place de Grand-mère. C'est mon tour.

– Trente-huit degrés cinq ! annonce Grand-père.

Grand-gaby ne comprend rien à cette température, à ces degrés, mais comme « Matante Margrite » en est heureuse, il pousse une exclamation de joie si forte que Gaétan le regarde par-dessus ses lunettes :

« Ne voilà-t-il pas que cet abruti – pour Bénard, Grand-gaby n'est, ne sera jamais qu'un abruti –, ne voilà-t-il pas que cet abruti qui, quand il a bu un coup, se vante d'avoir étripé le bébé viet, t'enveloppe et te soigne et te cajole cet autre enfant à lui inconnu, et nous aide à le sauver ! Et le voilà qui gueule de joie quand l'enfant va mieux ! Drôle de comportement ! Sssseee !

Grand-père a l'habitude de siffler son mépris entre ses incisives qui sont pourtant toutes intactes : *Sssseee !* Mais, pour l'heure, ce n'est que petite mauvaise humeur en passant, l'alcool rouge continuant de grimper dans son tube :

« Trente-neuf degrés, il constate à voix haute. Je crois qu'il faut s'arrêter là. Une bonne couverture sèche maintenant devrait suffire.

Et puis, après une légère hésitation, et n'osant pas s'adresser malgré tout directement à Marguerite :

« Ce que j'ai faim !

6

La reconnaissance de Margrite à celui qui allait devenir Grand-père fut sans limite, quand il sauva Ptit-mé pour la deuxième fois.

Le Chef du service de réanimation, le docteur S., était grand. Il avait, malgré sa peau brune, des yeux bleus très clairs, et, quoique jeune, n'avait plus qu'une chevelure blanche et rare qu'il faisait couper très court. Sa voix basse traînait un faible accent étrange, plus étrange encore, à des oreilles créoles, que la plupart des autres médecins.

Il n'avait confié à personne ce petit malade qui était arrivé, un matin, dans les bras d'un grand balourd d'ouvrier agricole que précédait une petite vieille courbée, dévorée par l'angoisse. C'était non seulement lui-même, en personne, qui avait fait la première piqûre, mais aussi mis le thermomètre (ce thermomètre qu'il fallait maintenant faire descendre depuis que Margrite avait réussi à le faire monter).

Piqûre et thermomètre, le docteur S. ne jurait plus que par ces deux mots. De la piqûre – d'un médicament tout nouveau – il parlait à l'interne comme la Révolution des révolutions :

– Alexander, c'est quelqu'un ! Ces anglais, quand ils s'y mettent !...

Et la température, il l'aurait vérifiée vingt fois par jour, mais il tenait à ne pas bousculer le petit. Alors, comme un gamin impatient, il posait à tout bout de champ la main sur le front

51

de Ptit-mé. Il finit même, confiant les autres urgences à l'interne, par s'asseoir sur une chaise blanche à son chevet. Carnet à la main, il notait, jusque dans les moindres détails, l'évolution de « son » malade. Et puis au bout de six heures, après avoir une fois de plus tâté la fièvre au front du gosse, il se leva brusquement :

– Madame Payet, il dit à l'infirmière. Voulez-vous bien lui prendre sa température ?

Lui, qui désirait tant lire le miracle, au moment crucial ne pouvait pas.

– Trente-huit degrés cinq.

– Le cours est à la baisse ! exulta le si calme docteur S. au grand étonnement de l'infirmière. Le cours est à la baisse !

Puis il se précipita vers la porte du couloir où attendaient Grand-mère et Gaby.

« Il y a un espoir, il dit en essayant au dernier moment de modérer sa joie, de se trouver un ton " objectif ". Sa maladie est grave, mais il y a un espoir.

Laissant Margrite le cœur battant, il regagna le chevet du petit, sortit son carnet, y nota soigneusement la température et l'heure...

Vint le moment de la deuxième piqûre qu'il fit à nouveau lui-même. Deux heures après, la température avait encore baissé d'un demi-degré. Huit heures plus tard, exténué, il allait pouvoir écrire :

– 36°5 !

Et en guise de tout commentaire :

– *God save the queen !*

Au bout de trois jours, comme à regret, il dit à Margrite :

– Je vais bientôt le faire passer en « médecine générale »...

Il ajouta, heureux :

« Je crois pouvoir dire qu'il est sauvé. Il y a un mois de cela, nous n'aurions rien pu faire. Mais " ça ", ça va nous mettre les miracles à portée de la main. Nous, les médecins, nous allons nous prendre pour le Bon Dieu ! termina-t-il en riant.

Ça, c'était une petite boîte à bande bleue qu'il tenait entre le pouce et l'index.

Tu te souviens de ta joie, Grite ! Tu te souviens ! Le battant de cloche te cognait la poitrine plus fort qu'une pétroleuse électorale son fer-blanc de provocation !

Bien qu'alors la reconnaissance t'envahisse, que lui sors-tu à ce docteur qui vient de donner à ton cœur de nouvelles raisons de pousser ton sang, à ce sang des raisons de ne plus se laisser cailler sans se défendre ? Que trouves-tu moyen de lui chanter, à ton Bon Dieu, ton sauveur ? A l'auteur de ce miracle que tu as tant imploré ? Que déraisonnes-tu, au lieu de tomber à ses pieds, de lui embrasser les pieds ?

– Docteur, si vous n'en avez plus besoin...

Ah ! Tu es bien la fille d'Antoine-Joseph, la nièce de Calixte pour être aussi extravaguée ! Une boîte de carton ! Longue et large comme le pouce ! Et vide !

Mais ils n'ont pas eu l'air étonnés, ces drôles d'yeux bleus au milieu de ce visage brun. Pas surpris, juste un peu amusés.

– Tenez, madame ! C'est un cadeau de la reine Élizabeth...

Ils auraient été encore plus amusés, ces yeux-là, s'ils avaient pu voir la joie de Grand-père quand il a reçu ce cadeau creux d'emballage vide. Si grande, cette joie, que le vieux s'est mis à parler latin – et pas pour épater son monde : *« Penicillium notatum. »* Et puis anglais – avec beaucoup de respect dans la voix : « Alexander Fleming ! »

En parlant d'anglais, Grand-père – lunettes sur le bout du nez – ne savait pas s'il devait être fier ou regretter que la notice fût écrite en cette langue :

– Tu vois, Marguerite Bénard, cela fait si longtemps que je n'en ai pas fait !

Soit dit en passant, d'ajouter au prénom de Margrite ce « Bénard » – leur nom de famille à eux deux puisqu'ils étaient mariés à la mairie – était façon de lui montrer son amitié, à Grand-mère. C'est bien comme cela qu'elle le prit, et elle en fut contente. Sans doute aurait-elle préféré « Marguerite Bellon », de son nom de jeune fille, mais cela supposait plus qu'une intimité, une compréhension totale, en particulier la nuit, dont il n'avait jamais été question entre eux.

Cette joie qui t'a submergée ce jour-là ! Tu es presque heureuse, aujourd'hui encore, rien qu'à l'évocation de cette joie ! Mais vieille kokole[1] que tu étais ! Vieille kokole à faire le fruit avant la fleur ! Ta joie, Margrite, ne vécut pas Mathusalem. A peine Aimé avait-il quitté le service de réanimation pour celui de médecine générale que le miracle cessa, ou plutôt qu'il ne revint qu'épisodiquement – « quelques heures tous les deux jours », avait remarqué Grand-père qui ne manquait jamais de s'enquérir de l'état de ton petit auquel il s'était attaché.

En dehors de ces embellies, la fièvre à des quarante et plus, la langue collée dans sa pauvre bouche, souvent le délire, le cauchemar...

S'ils avaient changé de médicament !... Mais les mêmes boîtes à étiquette bleue attendaient, dans le tiroir de la petite table, au chevet de Ptit-mé, la seringue de Sans-soutien.

Sans-soutien était le nom que Grand-mère avait donné à la petite infirmière de jour – la seule qu'elle voyait, puisqu'on ne lui donnait plus le droit de rester la nuit depuis que Ptit-mé était « guéri ». Sans-soutien, car sous la blouse blanche sa poitrine était aussi libre que ses mœurs semblaient l'être.

Grand-mère n'était pas de ces vieilles qui profitent de l'absence de la jolie voisine pour, après avoir passé le grillage, venir lacérer les robes décolletées, les petites culottes noires de

1. Imbécile.

la lessive pendue. Grand-mère, tellement femme de devoir pour elle-même, pensait que le bon temps des autres était bon, passait toujours trop vite. Elle se serait fichue des talons aiguilles de Sans-soutien, de leur claquement vif sur le carrelage du couloir. Elle se serait fichue du balancement des seins sous la blouse profondément déboutonnée. Elle se serait fichue de ce rouge à lèvres dix fois retouché dans l'après-midi. Elle aurait même trouvé tout cela bien et bon, à condition que Ptit-mé guérisse... Mais depuis que son petit rechutait, Grand-mère n'était plus qu'aversion pour la Sans-soutien.

Un matin que Margrite, le cœur gris comme le ciel d'hivernage [1], attendait le car au petit ponceau du bout de l'allée – pour aller jusqu'à son petit constater je ne sais quelle triste évolution –, Grand-père, encore en pyjama, et se protégeant sous son grand parapluie à toile bleue de la première goutte à tomber, vint jusqu'à elle :

– Cela fait cent fois que j'essaie de lire cette notice en anglais. Hier encore je m'y suis cassé la tête. Et cette nuit un mot m'est revenu : *ice,* la glace. *In ice :* dans la glace. Ils la conservent dans la glace au moins, notre pénicilline ?

Grand-mère serait tombée à genoux devant Gaétan, lui aurait embrassé les pantoufles, si elle n'avait plus urgent, de l'extrême urgence, à faire. D'abord appeler Grand-gaby trayant la vache, lui demander de venir – après s'être lavé au plus vite les mains, les pieds, à l'eau du bassin – avec elle jusqu'à l'hôpital. Le temps qu'il se prépare, elle obtiendra du chauffeur de car qu'il borde son rafiot, et veuille bien attendre quelques instants :

– Il n'en a que pour deux minutes !

Et les voilà, maintenant, marchant à tout casser, dans les couloirs de l'hôpital : Grand-mère petite vieille en robe de

1. L'été austral : la saison des pluies.

55

deuil, marquant son pas du parapluie ferré de Gaétan, qu'elle avait récupéré elle-même ne savait comment ; Grand-gaby derrière, pieds nus, en ces n'importe quoi qui servent aux journaliers de vêtements de travail : un vieux pantalon de Tergal décousu entre les fesses, et la chemise à fleurs profondément déchirée depuis qu'il avait, passant la rivière, osé aller affronter, sur leur propre territoire, dans leur propre bal, les petits coqs du village d'en face ; le tout complété par une veste militaire quasiment neuve.

Grand-mère avait tout bien préparé dans sa tête, et – connaissant la lenteur d'esprit de Grand-gaby – lui avait expliqué et réexpliqué tout au long du trajet : elle entre dans la chambre de Ptit-mé, et lui, Gaby, reste dans le couloir. Elle expose gentiment à Sans-soutien l'histoire de la glace et tout ça. Sans-soutien s'exécute, et il n'y a plus de problème. Ou alors Grand-mère l'appelle, lui, Grand-gaby. Il se précipite, saisit la petite garce au col... Attention : il l'étouffe pas. Il la laisse gueuler au contraire : il la fait gueuler. Il faut qu'il la fasse gueuler.

– Tu es derrière la porte. Tu écoutes. Je ne dis rien : tu fais rien. Je t'appelle : tu sautes dans la chambre. Tu la prends au collet... Tu l'étouffes pas, écoute ! Tu la tues pas !

Grand-mère avait tout prévu. Mais quand elle vit la figure décharnée de son Ptit-mé, ses lèvres bleuâtres, sa somnolence semi-inconsciente, quand elle mit la main sur ce front brûlant ; et quand, ensuite, cette petite pute avec ses talons hauts d'un mètre, son trémoussement de cul, son rouge à lèvres constamment refait, ses seins ballottants sous la blouse blanche exprès déboutonnée, osa lui rire au nez – alors une colère sans nom la submergea. Elle te lui enfonça sa canne de parapluie dans le ventre jusqu'à la clouer au mur.

Des mois après, Grand-mère en souriait encore :

Tu voulais qu'elle gueule. Mais elle n'avait plus du tout la force de gueuler, Sans-soutien. C'est le voisin de chambre de Ptit-mé, une barbe de huit jours, qui relevait de la psychiatrie mais qu'on avait mis là par manque de place, qui piqua une véritable crise :

– Au feu, il hurla, sautant de son lit. Au feu !

« Au feu » si fort que tu t'es retournée, et elle en a profité pour se sauver, la garce ! Et toi, vlan, vlan, vlan ! Un, deux, trois coups de canne. Sur le dos, sur les reins, les fesses. Un quatrième raté. Elle lofe aussi vite qu'elle peut, Sans-soutien. Ses seins ballottent plus que jamais. Elle perd ses talons aiguilles. Et le « psychiatrique » qui se met à lui courir après, qui la frappe – à vingt mètres de distance – d'une canne imaginaire...

« Prends ça, et ça, et ça !

Il revient, maintenant, donnant toujours des coups de canne, faisant de grands moulinets avec sa canne.

« Prends ça, et ça et ça !

Et les coups de canne se transforment en coups de reins obscènes :

« – Et prends ça aussi, et ça, et ça !

Puis il essuie à la manche de son pyjama le filet de bave qui lui coule de la bouche avant de regagner son lit, de se rencoquiller dans son mutisme habituel...

C'est sur une vieille, les larmes aux yeux, caressant la main de son petit maintenant tout à fait inconscient, que le directeur de l'hôpital (qu'accompagne toute une troupe d'internes, d'hommes de service) fait irruption.

Sans-soutien débarque à son tour, écarte le cercle qui s'est fait autour du lit :

– Elle a voulu me tuer ! Elle a voulu me tuer ! elle glapit.

– Calmez-vous, calmez-vous, le directeur répond.

– Elle a voulu me tuer.

– Mais calmez-vous donc, nom d'un chien !

Et Grand-mère se dresse, se raidit un peu, s'essuie les larmes, et de sa voix redevenue ferme :

– Je veux que vous mettiez dans la glace le médicament anglais.

Le directeur, après avoir jeté un rapide coup d'œil sur la boîte à étiquette bleue que Grand-mère a pris dans le tiroir de la table de chevet, qu'elle lui a tendue, dit :

– Je vais arranger ça.

– Elle a voulu me tuer ! Elle a voulu me tuer, trépigne l'autre à destination du directeur.

Celui-ci la prend par le bras, veut l'entraîner :

– Venez !

– Elle a voulu me tuer !

La pression au bras de Sans-soutien se fait plus ferme mais le ton devient ambigu – intime et sévère à la fois :

– N'insiste pas, s'il te plaît !

7

Ils t'en ont donné de la glace, après ! pense Grand-mère. Ils t'en ont donné ! Des cuvettes pleines de glaçons pilés, à peine fondants !

– Juste ce qu'il faut : le zéro de Celsius, avait dit Grand-père auprès duquel tu t'étais renseignée.

Au milieu de cette mer de glace : le petit flacon dans son carton trempé !

La piqûre faite, la cuvette restait là. Elle ne s'en allait, glace presque toute fondue, que pour être remplacée par une autre et son nouveau flacon. Ce trafic glaciaire était parfaitement inutile : le frigidaire était à deux pas et la pénicilline devait se réchauffer entre dix et quinze minutes avant d'être administrée.

Le Dr S., qui s'était refusé jusqu'alors de monter en médecine générale, pour ne pas faire le pied sale dans la chaussure d'autrui, et qui, depuis, venait jusqu'à deux fois par jour mais pour une très courte visite (« je viens en voisin, juste, juste pour avoir des nouvelles », s'excusait-il auprès de ses collègues), en était d'autant plus amusé que « son petit » était proche maintenant de la guérison complète.

Il en riait dans sa tête, le Dr S.

« C'est la débâcle ! Il a dû avoir une de ces trouilles, le patron : sa petite protégée qui assassine le malade ! Mais ils sont mal tombés tous les deux, avec la vieille. Elle est bien, la vieille ! Elle est très bien ! Si je m'écoutais je l'embrasserais. »

59

En fait, il s'écoutait souvent. A chacune de ses visites, il embrassait deux, trois, quatre fois Grand-mère. Au moindre prétexte : un bisou à « la vieille »...

A chaque visite donc, après avoir embrassé Grand-mère pour lui dire bonjour, il posait la main sur le front de Ptit-mé et, en la retirant, profitait du geste pour repousser cette mèche de cheveu qui cornait vers l'œil. Il ne manquait, ensuite, jamais l'occasion de se tourner vers ces glaçons qui continuaient de fondre au chevet du petit. Il secouait la tête.

– Il le laisse bien se réchauffer, le flacon, Grand-mère ? demanda-t-il un jour, profitant de l'absence d'oreilles indiscrètes.

– Douze minutes et demie, ni plus ni moins, mon enfant, répondit Margrite en sortant de son sac à main un énorme Jazz à trois pieds qui fit un tic-tic d'enfer dès qu'elle le désentortilla de son torchon.

Le Dr S. se mit à rire de bon cœur. Grand-mère aussi, qui profita du mouvement de complicité entre eux pour lui demander :

– Qu'est-ce qu'ils ont fait à...

Grand-mère allait dire « Sans-soutien », mais le docteur ne pouvait connaître ce nom, puisqu'elle l'avait inventé, qu'elle le gardait dans sa seule tête (car si le penser n'était pas méchant, le dire...).

– A... la glace, là ? fit préciser le docteur en désignant la cuvette.

« L'infirmière à la glace », voulait-il dire. « A la non-glace. Celle qui est à l'origine de tous ces mouvements de glace. Celle qui a ricané quand on lui a parlé de la glace. Celle qui laissait le médicament s'abîmer alors qu'il aurait dû être à la température de la glace... »

Grand-mère acquiesça.

« Rien. On ne lui a rien fait. Pour l'instant elle est en congé

60

maladie, mais dès que votre petit-fils sera complètement guéri, elle passera dans le bureau du grand chef, disons... directement à son service.

Grand-mère poussa un soupir de soulagement. Le Dr S. la taquina :

« Vous aviez peur qu'elle ait eu des ennuis ! Avouez ! »

Il n'eut pas besoin de mots pour que l'aveu lui devienne évident.

« Vous, alors, dit le docteur en embrassant à nouveau Grand-mère. J'avais bien deviné que vous étiez bonne comme le bon riz. »

« Il m'en a donné des bécots, celui-là, repense Grand-mère. Il arrive : en voilà un. "Et vous êtes extraordinaire " : un de plus. " Cette fois-ci, je peux vous dire qu'il est vraiment hors de danger " : encore un. Il s'en va : en voilà un autre. Pas de doute, Margrite, il avait un petit fion pour toi ! »

Grand-mère s'amuse :

« Tu avais cinquante ans de moins, il te roucoulait de la bergère. Et tu chavirais pour lui dans le champ de cannes. »

Alors Grand-mère se met à fredonner une « bergère » française de son jeune temps :

> *Viens, le soir descend*
> *Toi si frileuse...*

Elle chante en préparant ses petits beignets de banane, s'arrête de chanter pour faire ses comptes à voix basse :

« Quatre ou cinq pour mon petit, une bonne dizaine pour mon vieux, une autre dizaine pour Grand-gaby... Et s'il reste un peu de pâte... »

Elle se remet à chanter.

Peut-être Sylvert lui roucoulait-il de la romance « frileuse », en écrasant d'une grande tape ce moustique qui commençait à

lui tarabuster la pommette – rose – à la limite du carabi[1].
Crépu ? Peut-être, après, chavirait-elle, pour lui, dans le
champ de cannes à sucre...

– Non, Margrite, il ne t'a rien roucoulé. Et tu n'as pas roulé
sous lui dans la paille sèche. Il t'a eue à la pitié.

– Non ! Il était beau, solide, fort.

– Soleil des cinq heures du soir ! Le dernier regain !

– Il avait du gaillard, de l'élégance, la barbe qu'il frottait à
la racine de vétyver...

– Et agréable autant, la barbe : raide, rêche, couleur de terre
et d'œuf battu.

– Il dansait comme un prince. La valse, les scottishs, les
mazourdes[2] !...

– Ses six petites papangues[3] lui sautant autour, pour qu'il
leur donne la becquée, qu'il les mouche et torche et... Il t'a eue
à la pitié.

– A l'amour.

– Avec un rien, un petit rien de compassion.

– Soit ! mais j'ai eu ma part de plaisir. J'ai eu mon goût de
vie. Et je le prends encore ! Tiens, rien que les bécots de ce
jeune homme. Cette jolie bouche sur ma vieille joue. Tu crois
que c'est désagréable ? Amitié ! me diras-tu. Amitié bien sûr,
mais peut-être un misquet d'affection !

« Oh, je ne demandais même pas son amitié au docteur. Il
me l'accordait, je n'allais pas refuser. Comme il était beau en
plus !... Est-on sûr, d'ailleurs, que la beauté ne donne pas plus
de goût à l'amitié ?

« Ça, pour être bel homme, il l'était. Mais toi aussi, Ptit-mé,
tu le seras, bel homme. Mais, mon bel homme, il faut que tu te
réveilles, sinon Grand-père va tomber malade d'attendre ses

1. Rouflaquette.
2. Mazurkas.
3. Petits oiseaux de proie.

beignets. Tiens, je lui en donne déjà quatre, disons cinq, et je mets les autres, pour toi, de côté. Il faut que tu te remplumes aussi ! »

Par le fait, les plumes commençaient à bien lui repousser à Ptit-mé : les bourgeons blancs des hampes se voyaient déjà dans la peau rengraissée des ailes. Le temps n'était plus de ces pauvres lèvres d'un fil violet, ses joues si creuses qu'on pouvait lui compter les dents à travers, ce faciès en noyau sucé de mangue, ces bras d'épouvantail-letchi maigres et raides à faire peur aux merles.

Ces mots de comparaison cruelle – emportée par la langue des gens de son peuple, habitués à tourner en dérision leur propre malheur –, Grand-mère n'avait pu empêcher sa conscience de les sécréter. Ils lui avaient fait d'autant plus mal que la métaphore « collait » toujours si bien qu'elle en devenait inéluctable. Comment penser autrement qu'épaules d'arrosoir devant celles de Ptit-mé ; et qu'était son petit cul décharné, sinon quignon de pain de cent grammes ? Et l'image de la chenille, cette saloperie d'image, qu'elle n'avait pas inventée, Grand-mère, mais – pire ! – que Ptit-mé lui-même avait trouvée.

La fièvre était définitivement tombée, sans doute, et le microbe éradiqué du petit corps.

– Il est guéri, avait dit l'interne de service. Enfin, si on peut...

– Si on peut... avait répété le Dr S. qui, pour la première fois, trempait sa cuiller dans la marmite de la « médecine générale ». Si on peut... avait-il encore répété, et son regard était si dur que, malgré la voix traînante, l'interne en fut glacé.

Et puis ce dernier s'était excusé ; il avait quitté la chambre blanche en emportant la pancarte des températures. Le chef de service, après avis du directeur en personne, avait signé l'autorisation de sortie. Et Grand-mère avait pris Ptit-mé.

Grand-mère avait acheté un lit neuf à son petit – un sommier de treillage métallique sur quatre pieds de bois-dehors[1], que Grand-gaby sortait sous la varangue sur les coups de dix heures. Là, Ptit-mé partageait son temps entre assoupissements et tentatives de mouvements : des débuts de retournements, des commencements de reptation... Au bout de plus d'un mois et demi, il en était toujours là. Grand-mère, pressée de le voir debout, ne pouvait s'imaginer qu'à partir des riens d'organes qui lui restaient, il s'en refaisait des nouveaux, remodelait des muscles neufs, relançait des nerfs frais, reglaçait les cartilages de ses jointures. Elle en était dévorée d'inquiétude.

Et puis un beau jour, en plein milieu de son ramper, Ptit-mé trouva moyen de dire :

– Regarde, Grand-mère, regarde ta grosse chenille !

« Ta grosse chenille » ! L'image exarcerbait si fort le tourment qui la tenaillait, que Grand-mère n'en avait plus dormi. Sans l'usage de ses mains, de ses jambes, ne se mouvant qu'à faibles ondulations du tronc, qu'était Ptit-mé sinon larve parmi les larves, chenille Galabèr que l'on écrase du talon nu, que les fourmis même osent attaquer de son vivant.

Grand-mère en avait donc perdu le sommeil. Cela faisait des années certes – depuis le départ de son fils –, qu'elle ne dormait plus que très peu et très mal. Après la rentrée brusque, violente et totale de Ptit-mé dans sa vie, elle avait même passé des semaines n'échappant à sa conscience que des miettes de temps. Mais elle avait retrouvé un peu de vrai repos depuis que la fièvre de son petit avait totalement disparu, depuis que l'infection était terminée.

« Ta grosse chenille » ! L'image révélait trop bien la réalité pour que Grand-mère n'en fût pas malade. De la bouche

---

1. Bois d'importation.

même de Ptit-mé en plus ! Sans désespoir, comme sans conscience. Sans conscience pour l'instant. Mais elle viendrait, la conscience, et le désespoir avec...

A cette époque, Grand-mère s'était amèrement reproché de n'avoir pas tout fait pour retenir Joseph. Et d'abord le scandale, ce soir où il avait annoncé son abouchement à cette garce. Il en aurait souffert, évidemment, mais serait resté, et elle l'aurait guéri. Puis il aurait trouvé une petite fille simple qui l'aurait rendu heureux. Et il n'y aurait pas eu (certaines langues se déliaient, maintenant) la petite Agnès étouffée dans son sommeil – comme le treizième goret sous la truie. Il n'y aurait pas eu cet autre, Aimé, infirme pour le restant de ces jours...

Pour la première fois de sa vie probablement, Grand-mère en avait voulu au monde entier, et d'abord à cet égoïste au crâne chauve, qui l'avait sûrement entendue, cette histoire de chenille. Miracle encore que – dans sa malfaisance ! – il ne ressorte de temps en temps un coup de « grosse chenille », rien que pour s'amuser. Car ses conseils, son soleil et ses ultraviolets ne sont que façade. Il n'a vécu, ne vit encore que pour faire souffrir les autres.

Il prétendait avoir sauvé Ptit-mé. Il aurait mieux fait de se sauver lui-même. De sa ladrerie, de sa caponnerie, de sa goulupiaterie, de son égoïsme. Sauvé ! Une grosse chenille à gigotement impuissant ! Sauvé !

Elle en avait voulu à Bénard, jusqu'au moment où les articulations de Ptit-mé s'étaient dégrippées ; où la tête de ses os s'était remise à tourner, lentement d'abord, mais sous les angles habituels et nécessaires, dans leur loge. Alors la méchanceté de Grand-père ne redevint que ce qu'elle était : un peu d'aigreur. Aigreur que Margrite comprenait d'autant mieux qu'elle n'en était pas la cause, ayant connu le vieux déjà vieux et déjà « comme ça » ; que celui-ci avait l'air de s'intéresser vraiment à la santé de Ptit-mé ; et surtout que Ptit-mé guérissait définitivement. Alors, Grand-mère eut à nouveau reconnaissance – et bientôt amitié pour « son vieux », où se glissa même un très-peu de tendresse qui la poussa, plus d'une fois, à l'appeler « Gaétan ».

8

Voilà que Ptit-mé s'agite dans son sommeil ! Bientôt ses mâchoires se serrent, ses doigts se crispent... Grand-mère dépose au plus vite son van sur le sol, elle prend la main du petit, la caresse :

– Là ! Là ! Tu ne vas quand même pas me faire une de tes angoisses !

Quoiqu'il n'en parle jamais, qu'elle n'en sache pas les causes, Grand-mère commence à les connaître, les cauchemars de Ptit-mé. Elle sait, du moins, comment ils s'annoncent, comment briser tôt leur offensive.

La première fois que cela lui était arrivé, il était sur son lit d'hôpital. Il n'avait pas encore dit sa première parole à Grand-mère, n'avait pas encore – beau cadeau pour elle, lorsque cela se fera – ouvert les yeux, n'était pas revenu à sa vraie vie – que Grand-mère reprenne goût à la sienne. Tout cela n'allait pourtant pas tarder : le Dr S. disait que le petit était sur la bonne voie, qu'il pouvait sortir de sa nuit d'un moment à l'autre. Il avait donné le droit à Grand-mère, ce qui était exceptionnel en « Réanimation », de s'asseoir à côté du lit – entre le lit et le mur, qu'elle ne gêne en rien le personnel médical.

Ptit-mé avait d'abord eu un frissonnement des joues, un arrangement de la bouche, puis le regard, la conscience. Et tout de suite : la terreur – crispation des mains, révulsion des yeux, contracture de la mâchoire, serrement de la gorge. Et, refus de renaître, coma de nouveau.

« Faut-il qu'il ait souffert, se disait Grand-mère, quand elle y repensait, pour ainsi refuser le monde et la vie. »

Sur l'heure, bouleversée, elle lui prend la main, essaie de trouver du calme pour deux, en trouve au moins pour lui, et des mots d'apaisement, de douceur.

Il ouvre de nouveau les yeux. Et alors, le sourire ! Un sourire – malgré ces lèvres exsangues, ces joues, ces creux de joues ver-dâtres, ce masque de cernes – un sourire, non seulement de bris de chaîne, d'arrêt des tortures, de fin d'enfer, mais aussi de joie, de retour, de retrouvailles :

– Grand-mère !

Puis, après quelques instants :

« ... Je savais bien que tu viendrais.

Ainsi, non seulement Joseph avait parlé de toi, mais il l'avait tant et tellement fait, il t'avait tant et tellement décrite, et ton image il l'avait tellement étayée et si bien consolidée, que, du premier coup d'œil, le petit te reconnaissait. Il l'avait aussi fait, ton Joseph, en termes de tel espoir, que tu devenais le bout du tunnel, l'issue, la salvatrice.

« Et tu vas voir si je ne suis pas salvatrice pour de bon, si je ne vais pas me le sauver, mon Ptit-mé ! A coups de petits bei-gnets, de petites bananes cuites sous la cendre, de petites prunes malgaches – et je les pétrirai moi-même, s'il le faut, qu'elles soient douces comme la mangue-dragée. A coups de bonbons-de-miel, d'œufs-de-bourrique[1] et de pastilles-Loriot ! Tu vas voir si je ne vais pas me le sauver à grands coups de bonnes cuisses de volaille, de côtelettes frites, de rougail de morue !

« A en juger par ce qu'il a mangé hier, il est bien décidé à se sauver un peu tout seul, mon Aimé. Il va bientôt m'avoir un de ces appétits à manger la roche-mère et ses petits avec. Peut-être mangera-t-il même du cari de poisson rouge... »

1. Testicules d'âne ; pâtisserie.

Grand-mère rit. Non par mauvaise plaisanterie où le poisson rouge – celui de la profondeur des mers, mets de vice-roi des Indes (s'il a son content d'épices et surtout de gingembre, dont moitié roussie à la tomate et moitié crue en finition s'opposent et s'allient, bref se renforcent) – tiendrait le rôle principal. Elle rit, non par cette succulence-là, qu'elle ne pourrait acheter même en guise de médicament, même avec ses feuilles bleues[1], mais par un autre poisson rouge, minuscule celui-là. Oh ! il faisait à peine une phalangette de long, ce monstre que Grand-gaby avait pêché dans le bassin de la cour, emmené à l'hôpital dans un pot à confiture – question d'aider Ptit-mé à tuer le temps, en attendant sa libération, la « quille », comme le grand disait.

Ce Grand-gaby, qui, du côté de Da Nang, avait joué – jeu inventé par le sergent-chef – au bilboquet-baïonnette à boule de petit Viet hurlant, accompagnait souvent Grand-mère à l'hôpital. Comme ça, sans raison apparente, du moins avouée. Car il tenait, en fait, à offrir lui-même à Ptit-mé quelque papillon vif aux ailes métalisées, quelque petit chien de terre dans son gazon, quelque bébête-Saint-Paul (Chrysalide-boussole se contorsionnant au bout des doigts, et trouvant à coup sûr, but du jeu, une ville à nom de saint). Et il était tout attendri – bouche bée, presque filet de bave – de la joie de Ptit-mé quand, de sa veste dure, il sortait, se cachant des blouses blanches, le bocal à merveilles vivantes.

Cette bête, cette herbe sèche, cette terre, Ptit-mé les voulait tout contre son oreiller, aussi près que pouvaient lui permettre ses jeunes yeux. Il restait ainsi, des heures durant, à observer de la taupe-grillon le remue-ménage dans sa motte brune et grasse, du criquet les élans cassés par le mur de sa prison trans-

1. De l'assistance médicale.

69

parente. Ou la lente métamorphose du Saint-Paul en sphinx effrayant – du moins pour la surveillante en chef.

La nuit, alors que Grand-mère avait dû « remonter » à la maison, les petits crissements des pattes contre le verre, les frottements des ailes l'une contre l'autre, la simple respiration de la poignée de terre étaient le meilleur barrage entre Ptit-mé et l'angoisse.

La surveillante en chef, que ces bêtes, cette terre, mettaient dans tous ses états, aurait bien voulu tout envoyer voltiger dehors sur la pelouse, si elle n'avait reçu des ordres précis du directeur :

– Réglez les problèmes comme vous voulez. Mais pas de scandale, je vous prie ! Pas de scandale !

– Pas de scandale ! l'autre marmonnait. Pas de scandale. Mais il a été fait, le scandale ! C'est sa chouchoute[1] à lui qui a fait le scandale ! C'est elle qui est le vrai scandale ! Et il faut que les autres paient les pots cassés !

Elle laissait donc le bocal, mais, « pour qu'un minimum d'asepsie soit respecté », elle en frottait l'extérieur à l'alcool – plutôt dix fois qu'une – avant de le rendre à Ptit-mé.

Grand-mère, régulièrement, avant qu'ils meurent – pour éviter ce chagrin à Ptit-mé – remportait les bêtes. Elle les ramenait à la maison, car il lui semblait nécessaire de les libérer sur la terre même où elles avaient grandi, et non – comme le suggérait la surveillante en chef – dans la cour de l'hôpital, qu'en plus Grand-père disait « chargée de miasmes et de germes pathogènes ».

Dès que Grand-gaby voyait le bocal vide, il se précipitait : vite une chevrette de terre[2], une chipèk à antennes courtes[3],

1. En créole, sexe de la femme.
2. Crevette de terre : puce d'eau.
3. Criquet.

un guerlet – ce guerlet que « Matante Margrite » ramena le jour même :

– Non, Gaby, non ! Ça se met à jouer du violon, la nuit, ces bestioles-là ! Celle-ci va réveiller tout l'hôpital.

Toute sa ménagerie, Gaby la fourrait donc dans son bocal, le bocal dans la poche de sa veste, et il emboîtait le pas de Grand-mère jusqu'au lit de Ptit-mé.

Parmi tous ces petits compagnons de quelques jours : un minuscule poisson rouge, un monbrun à reflets dorés que Grand-gaby avait délogé du grand bassin à l'aide d'un vieux panier de bambou. Est-ce mythe du rouge des fonds marins – manger de grand seigneur ? – mais à la vue même du petit poisson, Ptit-mé, cet alors boucard de Ptit-mé (« anorexique », disait Grand-père), qui vous déclare vouloir le manger, et frit à l'huile, et avec du pain s'il vous plaît !

Ton petit qui se remet enfin à la nourriture des vivants, celle qui se prend par la bouche, par l'entrée du Bon Dieu au bas du visage, et non par des trous percés dans les tuyaux à sang ! Ta joie ! Le paradis sur terre existe, Margrite, voilà qu'il ouvre pour toi toutes grandes ses portes !

Ça, tu n'as eu aucune pitié pour le requin-chagrin. Ptit-mé le voulait frit ? Il termina sa carrière dans l'huile bouillante... Avant de se dessécher et raidir dans cette petite assiette à dessert que tu avais spécialement achetée pour. Car, évidemment, il n'avait pas pu le manger, son quart de bouchée de poisson rouge.

Par contre, il avait demandé que Grand-mère mette l'assiette tout près de son oreiller, à limite de netteté de ses yeux, comme elle le faisait pour ses courtilières et chrysalides. Et il s'était mis à le regarder, son monbrun, à le regarder, à lui parler par simples mouvements de lèvres, à froncer les sourcils comme pour mieux en saisir les réponses...

L'enflement, gonflement, de ton cœur devant cette conversation muette entre le petit cadavre de poisson – si rouge, éclatant et doré, il y a peu – et celui de ton Ptit-mé ! Car c'était bien d'égal à égal ! D'inerte à inerte. De rigide à rigide. De sec à sec. Peau sur l'arête ou sur l'os : la mort devant son miroir.

Voilà ce que tu pensais, Margrite, jusqu'au moment où Ptit-mé avait fermé les yeux. Son visage était devenu d'un triste ! comme s'il pleurait en dedans. C'est toi, en flots de pleurs, que le Dr S. avait trouvée dans le couloir. Il t'avait alors emmenée dans son bureau, avait fermé la porte, t'avait longtemps parlé, expliqué. Que, pour ce genre de maladie, les choses étaient lentes à se remettre. Que tout, tout était retrouvé : l'appétit, la course, les jeux, les rires, la gentillesse, l'insolence, le vice et la bonté. Ses paroles avaient fait naître en toi l'espoir, sans tuer son contraire. Car, si tu croyais en cet homme bien plus qu'en toi-même, t'aurait-il dit tout cela s'il t'avait trouvée riant aux larmes au sortir de la chambre du Ptit-mé ?

Il avait, du moins, réussi à transformer le désespoir en doute. La cruauté du désespoir en le sadisme du doute...

C'est donc à ça que tu voulais venir, aujourd'hui, Grite Bellon ! A ces pleurs, cette chialerie ! Tu voulais en déverser à nouveau, et sur ton propre sort ! T'es bien pareille aux autres : pleurnicharde et gniengien. Dé-ses-pé-rée au moindre petit bobo à ton cœur ! Tu me fais pitié, tiens !

Mais pourquoi ne racontes-tu pas, plutôt, la tête de la vieille richarde qui, pour la préparation de ce repas gouverneur, t'avait prêté sa cuisine – et t'aurait même prêté sa bonne si tu avais voulu (« Marie fera cela très bien pour vous »).

Tu te moques, Margrite, alors qu'elle a été si gentille ! Mais ses billes d'yeux ont failli tomber de leur orbite, quand elle t'a vu sortir ton empereur [1] de ton sac à main ! Ça, oui, ça mérite d'être conté. Mais toutes tes pleurnicheries, lamenteries, ne peux-tu, définitivement, les mettre sous la grosse pierre ?

Raconte et ris, même si les larmes te voilent un peu les yeux ! Raconte : toi, dans ta robe grise ; toi, courbée – oui, courbée ! Qu'est-ce que tu crois : que soixante-treize années, en lui pesant sur la tête, ne font pas plier le bambou ? Toi, le cœur battant, le souffle court, trottant – battre le fer tant qu'il est chaud, préparer au plus vite (avant qu'Aimé ne change d'avis) ce premier repas d'après résurrection ! Toi, galopant sur les trottoirs de cette immense rue de Paris.

Et tu ne t'arrêtes que devant les plus belles maisons, les plus riches : les blanches à colonnades ; celles à jet d'eau ; à varangues à dendrobium, platycerium, et sabots de Vénus ; à débordements de pluie d'or ; à immenses parterres de rosiers ; à grand-mères n'ayant rien d'autre à faire qu'à tailler les rosiers.

Car pas question pour toi d'aller préparer le festin de monsieur Ptit-mé à la maison : les deux heures de remontée qu'il faudrait, celles de redescente, et retour à l'hôpital : porte de bois dur – visites de 14 à 18 heures. Mais la vieille « Pour Cythère... » de Gaétan, car il a une voiture, Gaétan Bénard, qu'il a baptisée de ce drôle de nom. Elle mange la poussière du garage depuis bientôt dix ans, la « Pour Cythère... » La rouille a dû lui gangrener les tripes ! Ote donc « Pour Cythère... » de ta pensée.

Hors de question aussi d'aller aux cuisines de l'hôpital. Pas à cause des miasmes et germes pathogènes (dont les seuls noms font blêmir Bénard). Mais de cuisines, ici, point : tu le sais pour avoir vu – toi qui arrives toujours bien trop tôt et qui attends l'heure de visite à l'ombre du pongame de l'entrée – le

1. Espadon.

73

repas débarquer dans de grandes cuves carrées d'inoxydable qu'une camionnette apporte vers les onze heures et demie.

Alors, toi qui détestes fourrer ta cuiller sale dans le cari des autres, tu iras frapper aux cuisines des gens. Des riches. Pas pour des raisons de propreté – quoiqu'il soit tellement plus facile d'être propre par la serpillière et le torchon d'Ernestine ! Pas pour des raisons directement prophylactiques, comme apprécierait Tino (le Tino du quartier : à peau noire, cheveux de grains de poivre, maigre, inconnu, et ne chantant même pas, qui descend en ville pour faire provision de mégots à bout filtre, celui des Craven : « Le riche ça peut pas te colloquer ses microbes : c'est jamais malade ! »). Uniquement parce que la grand-mère aux rosiers devrait te comprendre, ne pas te faire perdre ton temps en d'interminables explications – avoir aussi de l'huile sous la main ! et une poêle !

La première, que tu appelles à travers sa grille – qui donc t'a foutu une vieille de cet acabit ! décidément tu n'es pas faite pour fréquenter vieillardise et sénilité –, la première est sourde comme un pot : tu peux t'égosiller comme tu veux, elle n'entend que la voix du dedans de sa tête, qui, en ce moment, lui demande à quelle hauteur elle va bien pouvoir couper ce vieux rameau tout sec qu'elle tient de sa main gantée.

La deuxième aussi a des gants. Elle est si cassée en deux, que le poids des années n'explique pas tout. C'est ce bricbrac d'or et de diamant qui l'attire vers le sol. Mais au moins, elle t'entend, te comprend, te répond – en créole, ce qui facilite. Elle aussi a des enfants, des petits-enfants, et qui ont leurs maladies : l'allergie de François, le rhume incoercible de Vincent. « Elle comprend très bien. » (Et assez vite, tout compte fait.) Elle ouvre toute grande sa cuisine, ses placards cirés, elle te propose un coup de main (celui de sa bonne), te fait tendre le poêlon.

Mais la tête, la tête de ce quatrième âge – d'au moins

soixante-cinq ans ! – quand tu as sorti de ton sac à main ton mouchoir, et de ton mouchoir cette civelle aplatie, ce quart de sardinelle, le tout petit kaniki monbrun de poisson rouge.

Et toi pour excuser le petit de ton petit :

– Ce n'est pas un caprice, vous savez. Cela fait un mois et demi qu'il est sous sérum et qu'il n'a rien mangé.

Deuxième partie

1

Ce samedi-là, Ptit-mé, s'appuyant sur le bâton de Grand-
père – que celui-ci lui prête et dont il dit pourtant qu'il ne peut
plus s'en passer –, réussit à se mettre debout, à faire, malgré
ses jambes – hampes maigres de fleurs de canne, et qui
tremblent comme tremble herbe-la-misère au vent –, à faire un
pas, deux pas, trois...

Grand-mère rayonne :

« Bientôt le tour de la maison, elle pense. Puis jusqu'au fond
de la cour, au manioc et calebasses, enfin aux vavangues... »

Elle est fière aussi, Margrite, du courage de son Ptit-mé dont
le visage se crispe sous l'effort : pour lever, tirer, pousser son
paquet d'os pleins, il n'a plus que quelques fils de muscles
qu'on lui sent à peine sous la peau.

– Et l'ankylose, dit Grand-père qui veut parler de la rouille
des jointures, d'un commencement de soudure peut-être. Il ne
faut pas oublier l'ankylose !

Mais il est si volontaire, Ptit-mé, qu'il la dékylosera cette
ankylose, qu'il la dérouillera cette rouille, qu'il dessoudera
l'éventuelle soudure...

Pour le remercier et lui donner encore plus de courage,
quand il sera retombé dans son pliant vert, quand il aura
repris son souffle, Grand-mère lui murmurera dans le trou de
l'oreille :

– Dès que tu seras complètement guéri, nous le ferons, ce
voyage à Vincendo...

79

Grand-mère n'a pas encore prononcé « Dès que tu seras... »
que les oreilles de Ptit-mé s'ouvrent en van à vanner le maïs
moulu... « Nous ferons ce voyage... » : Ptit-mé pétille des
départs. Au nom de « Vincendo », il vogue déjà, mais sur les
houles roses des champs de canne en fleur. Le rêve a envahi
son sang, coule bord à bord dans ses veines, le submerge :

Cinq mille oiseaux-lumière de large et dix mille de long.
Champs tigés : rayons piqués en terre de soleil levant. Toi,
main de brise aux cheveux, goutte-à-goutte de vie.
L'eau qui perle aux crosses des fougères. Les bengalis qui
viennent boire au griffon des mousses, le lièvre qui s'enivre de
la rosée du cœur de fatak[1].
— Nous aussi, raconte Grand-mère, malgré tous ces détour-
nements de ravines vers nos bassins de faux maîtres, nous
allions cueillir notre eau à boire. Aux flancs mêmes des remparts de la montagne.
— L'eau neuve, disait Flora, ma jeune sœur.
— L'eau de roche, laissait, pour une fois, échapper tonton
Calixte en un margrognement heureux.
« Nous enfoncions un fin calumet de bambou dans la plus
ruisselante des fissures ; nous tendions les mains devant la
gueule de cette tuyelle improvisée. Mais cheveux et chemises
recevaient d'avantage d'eau du voile de pluie vêtant la roche,
que nos mains de son égratignure. Tant mieux : cela nous faisait rire aux éclats, nous donnait conscience d'être, fraîches et
fermes au milieu de cette chaleur à fondre... En attendant que
notre alcaraze se remplisse, nous faisions plein ventre de jamerose et d'ananas sauvages.
— Sssssseu ! siffle Grand-père pour lui-même. Enfantillages !
il gronde.
Mais a-t-il déjà, Grand-père, disputé au lièvre la rosée du

1. Voir note p. 29.

matin, au bengali le nectar de corbeille-d'or ? A-t-il déjà peigné loyau de la mangue aux pieds des filaos qui, du haut de leur falaise, règnent sur la mer ? Car Vincendo a la mer à ses pieds. La mer et le monde. La vue est si vaste sur l'Océan des Indes, qu'il n'y a pas d'endroit où le globe est plus boule. Et la ligne d'horizon est, là, si ronde que poupe et proue des grands bateaux ne peuvent toucher la mer en même temps !...

– Et la saliette, l'herbe à brocus – bien-salée, la bien nommée ! Tu connaîtras la saliette ! La feuille en est plus salée que le sel ! Piment, gingembre et pomme d'amour : ton rougail est fait ! La guerre peut revenir, toi, au moins, tu ne manqueras pas de l'essentiel... Ce qui ne t'empêchera pas de te faire du vrai sel, si tu le désires : l'eau de mer caille si vite dans le zanponne [1] du palmiste. Et le palmiste, ce n'est pas ce qui manque à Vincendo !

– Du sel dans les zanponnes ! Ssssseu ! Oser le dire devant moi qui possédais la plus belle mine de tout Madagascar. Guérande et Dombasles pouvaient bien se rhabiller à côté ! Fin comme farine, mon sel ! Et blanc comme foutre !

« J'ai dit Madagascar ? Eh bien j'ai eu tort. L'extrême sud, l'Androuille [2] n'est pas Madagascar, et l'Antandrouille ne se sent pas malgache ! Il ne peut pas sentir le gache.

« J'ai dit gache ? Attention ! Pas raciste le père Bénard ! Pas colonialiste : je l'ai rendue, cette mine de sel. Après mise en valeur ! Mais un gache est un gache, et l'Antandroy, un être exceptionnel. J'en ai même connu qui se feraient...

Ptit-mé saura bien vite combien *les habitants des épines* sont généreux, et courageux, et serviables. Il saura tout de l'Androy. De la sécheresse de l'Androy. Des *rakaita* [3] de l'Androy. Des tortues de l'Androy. Du foie de tortue des tortues de l'Androy :

1. Partie de certaines feuilles engainant la tige, en forme, donc, de gouttière.
2. Androy, que Gaétan Bénard prononce comme il se doit.
3. Le *a* final ne se prononce pas en malgache : rakaite. Du français « raquette », le cactus connu.

– Des kilos de foie contre une simple poignée de sel. Il y en a tellement, des tortues, qu'on ne les sacrifie que pour leur foie. Le reste pourrit au soleil. Les carapaces vides traînent par milliers entre les *rakaita*. Dès que la pluie arrive, la seule grande pluie de toute l'année, les femmes, les enfants, les vieux, trempés en mare et riant comme des fous, passent d'une carapace à l'autre et tournent vers l'eau du ciel « ces casques de soldats morts pour sauver l'Androy » – comme ils disent, depuis que leurs hommes sont allés faire la guerre de Quatorze, en France. Leurs bœufs, maigres comme une livre et demie de pointes à planches, viendront y boire, au moins pendant quelques jours, avant de se contenter du jus des *rakaita*, et mourir de soif, quand la *rakaita* même sera tarie.

Ptit-mé saura tout bientôt des jurons des hommes du *Pays des épines*, il se mettra bientôt à leurs jurons, à leurs insultes :
– *Amboi mate ! Amboi sivèl !*
– Chien mort ! Chien pourrissant !... Attention, Ptit-mé. Il est gentil, l'Antandroy. Il te donne des kilos de foie contre une poignée de sel. Mais un seul « *amboi mate* », et tes os tiennent compagnie aux coques vides des tortues, aux crânes des bœufs morts...

2

Ce soir, Grand-mère est revenue tôt de Stalingrad.

Stalingrad : un nom donné par Gaétan. Parmi toutes ses manies, celle de donner des noms à tout, de rebaptiser le monde entier, de se refaire le monde en le nommant à sa façon. Pour un « Sans-soutien » de Grand-mère, lui, Gaétan Bénard, a dix, vingt, trente surnoms.

« Stalingrad ». Il a ainsi nommé le champ de Grand-mère, parce qu'elle en retourne fatiguée comme un Allemand du front de l'Est – surtout les jours où elle se coltine le fourrage pour dame Caoudin.

Dame Caoudin, la vache, doit son nom à un notoire bras-fort d'élections : elle est méchante comme.

« La perspective Newski », ou plus simplement « la Perspective », est, devant la maison, le bout de chemin à peu près droit bordé de cuvettes profondes, qui va de la boutique de Mane-ti – côté piton – au « Tournant l'arroseuse » – côté mer. Défunt « l'Arroseuse » (qui doit son nom à l'habitude qu'il avait d'uriner en tous sens et à la volée quand il était soûl) s'y étant cassé l'arbre de vie en tombant du car.

« Mangues-vertes », défunt « Mangues-vertes », n'en avait chipé qu'une, et encore pour une envie de sa femme en voie de famille.

Une grappe de poissons que Jules Abart, premier fils de Simon, avait acceptée pour retourner sa veste électorale, avait permis à Gaétan de le rebaptiser Vivano-la-Flamme. Le surnom ayant connu le plus vif succès – du beau nom de ce beau poisson d'une part, de la chevelure savane en feu du dénommé Vivano de l'autre –, ce dernier avait gueulé, à qui voulait l'entendre, qu'il gardait un chien de sa chienne à « cette vieille saloperie » que, d'un coup de bois fendu, il allait raidir, jusque, y compris, « ce qui ne raidissait plus jamais ».

Si l'allusion une supposée défaillance de son sexe avait créé chez Gaétan une gêne indiscutable, la menace lui avait aussi occasionné une réelle frayeur. Ce qui ne l'avait pas empêché, quelques mois plus tard, de tenter, cette fois contre Grandgaby, un surnom inspiré de la guerre d'Indochine – quelque allusion au napalm, aux massacres. Grand-mère, d'un regard sans appel, avait tué le sobriquet dans l'œuf : Gaby était-il donc responsable « des politiques » de la France ?

Grand-mère, donc, qui revient de Stalingrad – d'où elle rapporte sa corvée de fourrage, une brassée d'eucalyptus pour le bain de Ptit-mé (elle aime quand son petit sent bon l'eucalyptus) et de la souveraine pour ses propres plaies qu'elle a aux jambes –, décide d'arrêter tôt le travail, ce soir. Elle profite (mais cela n'est pas une tâche, tout juste une petite nécessité) de l'adoucissement qui précède le soleil de cinq heures, pour, en dix-douze arrosoirs, calmer la soif de son petit potager.

Ceci fait, elle s'arrêtera, non pas qu'elle soit paresseuse aujourd'hui, mais d'abord pour soigner ses jambes craquelées, fissurées, suintant la lymphe, croûteuses de vieux sang, et qu'elle a tant négligées depuis tous ces mouvements-là. Grand-mère préfère penser « depuis ces mouvements-là » ou « depuis le cyclone », que « depuis Ptit-mé », du moins pour ses jambes et tout le négatif, Ptit-mé n'étant jalon que de bonheur.

Puis, la banane n'étant que verte, l'ananas en baba-la-moëlle – car né de la dernière pluie –, de quoi, demain matin, au réveil, Aimé fera-t-il son petit déjeuner, sinon d'un reste de ce gâteau que Grand-mère devrait faire au plus vite ?

Le nécessaire au gâteau, Grand-mère l'a presque tout entier (et par ses propres moyens) : son arrow-root qu'elle a planté, moulu et fariné ; la vanille fécondée de ses doigts, échaudée dans sa casserole, mise à se faire au soleil dans un bocal qu'elle a réussi, en montant sur une vieille chaise, à poser sur la tôle du toit. Et l'œuf indispensable, ne viendra-t-il pas de sa poule à cou déplumé, qui s'est décidée à pondre, puisque Grand-père lui a tâté l'œuf au ventre, et dont il ne faut plus que trouver, sous la broussaille ou dans une touffe de bananier, le nid ?

Ça, dénicher la poule, c'est l'affaire de Grand-père. Il te prend la coquette, te lui fourre un piment rouge au fondement. Et quand la belle, l'incendie au cul, se sauve vers son couvement, ne reste plus à Gaétan qu'à crier :

– Cours-lui après, Marguerite ! Cours ! La laisse pas se perdre ! Vers la canne-maïs ! Elle va vers la canne-maïs ! Je savais bien qu'elle se cachait là !

Et puis, exalté :

« Avec un peu de chance, le piment va lui faire faire celui d'aujourd'hui.

Pour ce gâteau, ne manque que le beurre en boîte... et aussi le sucre : la taie d'oreiller est vide où Grand-mère le ramasse.

Margrite se précipite à la boutique pour prendre, elle-même, l'une et l'autre fourniture. Vitement, comme on vole le feu. Grand-père, qui marche à petite vitesse, qui, en plus, a l'habitude de blaguer ici et là – et d'abord avec Mane-ti, son camarade-politique –, qui perd son temps à lorgner, par-dessus ses lunettes, quelque beau pont-arrière de femme, Grand-père mettrait des heures !

Margrite, elle, en trois minutes est déjà de retour. Un bon savonnement des mains : en avant pour le gâteau ! Et remettons à ce soir – mieux : demain ! – ces fichues jambes et leur fichu bain de souveraine. Ce long temps de cul posé ! Cet interminable temps à se décroûter les jambes en se les caressant à l'herbe bouillie ! Cette vie de Mathusalem de temps, à attendre que le caillot s'amollisse et tombe tout seul ! Ce temps de tellement d'impatience, que tu finis par l'aider ce caillot – en tirant sur le bord de la croûte. De sorte que la péture s'ouvre, qu'elle saigne à nouveau, que tu as tout perdu pour rien.

Plutôt, donc, gâteau ! Gâteau pour Ptit-mé, gâteau pour Grand-père, et une part pour Grand-gaby – part qu'elle devra, comme celle du petit déjeuner d'Aimé, cacher pour la soustraire à la gourmandise du vieux.

Il sait bien qu'il aura sa quote-part, celui-là ! Alors pourquoi vient-il, en plein milieu de la porte de la cuisine, faire rempart entre Ptit-mé, dehors dans son pliant, et elle, Grand-mère, dedans, pétrissant la pâte dans sa grande marmite en fonte ? Il aura sa part, et Grand-mère l'aime bien, et elle n'est pas jalouse des sentiments que Ptit-mé lui porte, de ces longues heures où il a l'attention, les questions, le rire, l'affection de Ptit-mé. Mais à cette heure, quelques instants pour elle, s'il vous plaît ! Pour elle seule et sans partage.

Ah ! le vieux se colle. Comme huître à la pierre à chaux ! Lait de jacque aux mains ! Karapate[1] à mamelle de vache ! Pourquoi ne va-t-il pas, comme il en a l'habitude, bâton d'une main, chaise de l'autre, carrément s'installer sur le petit ponceau du bout de l'allée, pour regarder de là passer les femmes ? Que ne mange-t-il, alors, des yeux, en silence, leurs seins et leurs jambes jusqu'à ce qu'elles arrivent à sa hauteur ; puis leur dos et leur cul jusqu'à ce que le tournant « l'Arroseuse » vers le bas, la boutique vers le haut lui volent sa proie ? Pourquoi, mais cette fois-ci un peu en retrait dans l'allée, ne se met-il à soliloquer à voix plus haute qu'il ne l'imagine – il commence à être bien dur d'oreille – sur la petite femme de

1. Tique.

défunt Mangues-vertes (qui d'ailleurs passe en ce moment même) :

– Amenez les lances ! Elle a le feu à la butte !

« ... La braise ! La braise ! J'en sens l'ardeur d'ici !

« ... Tu as tort, ma belle : rien ne vaut l'homme ! Si le doigt, ça donne aussi du plaisir, ça ne crache pas l'argent de l'eau [1].

Que pourra bien trouver Margrite pour l'éloigner ? Rien, sinon lui demander d'aller chercher, question d'accompagner le gâteau, une petite bouteille de Marie-Brizard à la boutique. Ptit-mé aimerait ça, et elle-même, elle ne dirait pas non ; quant à lui, le vieux... Mais en beurre, sucre et maintenant liqueur, ton pauvre salarié [2] n'y suffira pas, Margrite Bellon ! Tu hésites...

Par chance la voiture du curé passe au chemin. Grand-mère saute sur l'occasion :

– Tiens, la voiture du père Colâte !... Je crois bien qu'elle ralentit.

Elle dit ça, Margrite, d'étale et de mer d'huile. Mais elle sait bien, la fine, quelle tempête elle déclenche. Déjà, le Gaétan Bénard, l'anticlérical, est rouge d'agame en colère. Sa mâchoire est crispée, ses tempes battantes. Grand-mère, qui ne tient pas à ce qu'il avale sa fourchette, a quelques instants la frousse de le voir se prendre une crise de cœur. Peur passagère, car le voilà – tu as gagné, roublarde ! – canne oubliée, courant à la boutique plus vite que chien à l'os :

« Si Colâte ralentit : il s'arrête. Et s'il s'arrête, c'est à la boutique, et moi je m'en vais le bouffer, celui-là », pense Gaétan qui est non seulement anticlérical, mais aussi « curaillophage » et « soutanivore », comme il le dit lui-même.

– Il m'en faudrait un à chaque repas, il dit.

---

1. L'eau : le sperme. L'argent de l'eau : les allocations familiales.
2. Retraite des vieux.

Hélas les occasions sont rares et, souvent, faute de catholicité fraîche, il se contente de conserve : du saint du calendrier. Il sait d'ailleurs tout de tous les saints. Et surtout de la manière dont on les a « accommodés ». Sûrement pour mieux les remanger à l'ancienne. Les têtes tranchées : il déguste ; les bouffés par les lions : il se régale ; les vierges et martyres (les vierges ! rien que le mot « vierges » !) : c'est Lucullus ! Il s'en ferait une tous les jours !

Il n'y a qu'au Bon Dieu qu'il ne touche pas. On se demande bien pourquoi, car il ne cache pas qu'il est athée ! On se demande aussi pourquoi il a, à portée de la main quand il est au lit, en même temps que tout son attirail de « commodités » (mouchoir, crachoir, blague à pissat), cette vieille bible noire dorée sur tranche ?

Ceci dit, tous les jours chaque jour que Copernic donne, dès que la lumière du soleil suffit, il prend son calendrier, s'approche d'une embrasure, ajuste ses lunettes :

– Voyons ce qu'il y a aujourd'hui au menu, il dit.

Depuis le temps qu'il fait cela – ça lui date déjà, ces comportements alimentaires – à son palais le plaisir est toujours aussi neuf. Il se délecte toujours autant. Quand le plat du jour est remarquable – une sainte Blandine, un saint Denis –, il va même jusqu'à étouffer un rot discret, avant d'éclater de rire.

Toute la ponctuation religieuse de l'année, il l'enlumine d'histoires à sa façon, qu'il ressasse à loisir, en rigolant – bien souvent tout seul :

– Le Vendredi saint, c'est la bonne du curé qui pleure comme « Marie-Madeleine ».

Lui, le curé, brusque :

– Mais qu'est-ce qui t'arrive ?

Elle, dans un hoquètement :

– Le Bon Dieu est mort.

Lui, méprisant :

– Vieille sotte, va !

A Noël, c'est celle qu'il appelle « de la naissance du Petit Jésus », celle du prêtre qui fait l'amour à la mère supérieure sous un arbre... Il y a l'histoire « drôle » de Pentecôte, d'Ascension, d'Assomption...

Ces blagues-là, que le vieux raconte, Grand-mère les laisse pour leur valeur – qu'elle trouve insignifiante ! Elle ne comprend ni le pourquoi ni surtout la nécessité de cette contre-religion. Après tout, que le cerveau du vieux s'englue dans des confusions entre tour et alentours de la vie, c'est l'affaire de ce dernier ! Elle n'y mettra pas le nez. Ni pour ni contre. Sauf si, comme aujourd'hui – mais ça n'est pas fête tous les jours –, cela lui permet d'être un peu seule avec son Ptit-mé. Alors elle n'hésite pas : elle lance le vieux. Et lui n'y court pas : il y galope ! Le petit pincement au cœur qu'elle a de le voir ainsi, par sa faute, ne ternira pas longtemps sa joie.
    – Eh ! n'oublie pas de ramener une petite bouteille de Marie-Brizard !... elle lui crie.
    Quoique sans bâton, Grand-père est déjà loin. C'est qu'il est capable, en vérité, d'encore lofer, le bougre !...

    – Mais de la Marie-Brizard ! Ton salarié, Margrite ! Comment paieras-tu beurre, sucre et liqueur, avec ton pauvre salarié ?
    – Il ne m'a peut-être pas entendue. Il ne la ramènera probablement pas. Et puis, tant pis ! Sainte Thérèse y pourvoira !

Au retour de Grand-père, Ptit-mé prend son bain dans la grande baille posée à même le sol, dans un angle de la cuisine. Et elle, Margrite, s'affaire de la cuisine à la salle à manger, aux derniers préparatifs du repas.

Gaétan est tout excité. Il parle en riant et rit aussi fort qu'il parle :

– Quand le Colâte a sorti sa camelote de bougies déjà commencées pour les refourguer à Mane-ti... mon Chinois, profitant de ce qu'il n'y avait personne dans la boutique, lui a fait comprendre qu'il n'en voulait à aucun prix : il les avait déjà vendues une fois, il n'allait pas recommencer, et surtout... écoute ! hein ! écoute ! écoute ce que ce salaud de communiste, cet athée de première, ce suppôt de Mao Tsé-toung, a trouvé moyen de déclarer... « surtout pour faire du bénef sur le dos du Bon Dieu » ! « Mais le Bon Dieu, tu t'en fous ! il a dit à Colâte. C'est ça ton Bon Dieu ! » Et Mane-ti te lui pique l'index dans l'énorme cimetière à canards, en ajoutant : « C'est ça, et ce qui pend dessous ! » T'aurais vu « Mon père » virer lof pour lof et se précipiter dans sa voiture... Le Colâte ! Il vaut guère mieux que « l'autre », celui-là !

A l'évocation de « l'autre », l'exaltation de Gaétan avait cessé d'un coup, pour faire place à la colère :

– Je suis votre nouveau père. Je m'appelle Ferrut : F. e. r... deux r... r. u. t. ... Fier de ses Pyrénées et de son accent qu'il croit faire rouler comme le tonnerre, celui-là !... Ferrut ! Je m'appelle rrrroulure oui ! Je m'appelle putasserrrrie !

La soirée aurait pu se terminer en long monologue irreligieux – ce qui arrivait quelquefois –, si le gâteau ne sentait si bon, que Marguerite porte venant de la cuisine...

Gaétan suit le gâteau jusqu'à la table à manger où Marguerite le dépose. Gaétan s'y assied, pendant que Marguerite allume la lampe à pétrole, puisqu'il fait déjà sombre dans la maison. Ce doré de croûte quand elle monte la mèche !

Elle – momentanément – sortie, Gaétan Bénard est maintenant seul face au gâteau. Il hésite. Entre le désir d'y goûter de suite, et l'obligation d'attendre l'heure du dessert. Que dirait Marguerite, en effet ? Mais ce parfum, ce parfum ! Avec rien que son propre corps – ni confiture, ni crème, ni chocolat –, il n'y a pas meilleur que gâteau d'arrow-root !

Et puis à Dieu vat ! – oui, Dieu ! car il n'a rien contre Dieu, Gaétan : il n'y a que la curaille qui l'affole ! A Dieu vat ! : il sort son trente-deux Dumas de sa poche et, après une dernière inquiétude en direction de la cuisine où officie Marguerite, *fiak, fiak*, il se coupe une bonne tranche de gâteau. En deux grands coups de dents, il s'en emplit la bouche.

Marguerite, qui continue de vaquer au repas, n'ayant rien dit – elle s'est juste contentée de mettre deux parts de côté –, les craintes de Gaétan se dissipent, et l'exaltation revient :

– C'est ça, ton Bon Dieu ! C'est ça ! Et ce qui pend dessous !

Et en postillonnant du gâteau, il pique, à son tour, le cimetière à canards d'un Colâte imaginaire qu'il oblige à reculer vers la porte de sortie.

– Dis, Marguerite, tu m'écoutes ?

Non, Marguerite, qui a regagné la cuisine, n'écoute pas. Colâte, raconté à voix si forte, est bien obligé de traverser la salle à manger, ne peut que passer la porte ouverte vers le crépuscule qu'obscurcit davantage cet entourage d'arbres touffus. Colâte est encore poussé sous la tonnelle qui conduit à la cuisine. Mais arrivé à l'embrasure illuminée des feux du foyer, il cale net.

Les Colâtes, les antiColâtes, les ragots, les cancans, les mesquineries – même lancés par Gaétan – ne peuvent franchir le pas de la cuisine de Grand-mère. D'abord par construction. Elle a, cette cuisine, aux yeux de la petitesse d'esprit, un vice rédhibitoire : aux confins de l'absurde et de l'illumination, surgit (comme jadis à Vincendo) une pierre énorme au beau milieu du sol pavé. Pas d'un minable quintal, mais de la bonne tonne, et probablement, plusieurs. Un roc rond, lisse, brillant :

91

le crâne chauve – transperçant ce mollasse de globe – d'un Atlas vieilli, dont les bras auraient fini par céder.

Ce cap nu, en pleine cuisine, ne pouvait être le fait que de l'Oncle aux chiens, tonton Calixte, ce que l'histoire de la famille Bellon confirmait :

Quand Antoine-Joseph, le père de Margrite, ruiné, avait dû tout vendre et devenir gérant de propriété, à tant et tant de kilomètres de Vincendo, le clan – ce qu'il en restait ! – avait suivi. Calixte, comme il n'avait que très peu touché à ses parts d'héritage, se mit en tête d'acheter, en manière de remerciement à la famille, pour la nourriture et l'affection qu'elle lui donnait, une autre maison – qu'elle puisse au moins se reloger.

Pour que le dépaysement soit moins grand, il la voulait, cette maison, le plus possible ressemblant à l'autre de là-bas : pareillement vaste, pareillement âgée, aux mêmes vérandas délabrées, à semblables dentelles de vieille tôle. Et pour lui-même, Calixte, il ne chercha que la pierre. Et cette demeure, sur laquelle très vite s'était jeté son dévolu, l'avait. Tout près même. Narguant la salle à manger et le monde dit civilisé.

C'était un énorme rocher de basalte bleu, dur comme acier, même pas égratigné des coups de pics, à peine ébréché de la dynamite que l'on avait utilisée pour tenter de rendre à la cuisine la place qui lui revenait de droit.

Calixte n'hésita pas : il acheta. Et ici aussi, il se fit bâtir autour du roc. Et comme il n'avait aucune confiance en ces gens « étranges » de ce pays d'exil, il fit en dur. Et comme on lui reprochait de dormir sur la terre nue, il fit tout paver – en respectant sa pierre, bien évidemment. Et puis la construction terminée, il en fit sa résidence principale, laissant la grande maison à la famille émue.

Le jour, lui, ses chiens et leur méfiance à tous battaient les chemins de leur exil. La nuit, à même le sol, ils se serraient en couronne contre le crâne, Calixte protégeant du bras la malade, la pleine, la portée trop tendre encore, le chiot recueilli.

A la mort de Sylvert, bien après qu'elle ait hérité de la maison, Margrite avait fait sa cuisine de la pièce à Calixte. Et Colâte, même ne sortant que de la bouche de Gaétan, n'en franchira jamais le seuil.

La cuisine n'eût-elle été qu'une cuisine banale, que personne, ce soir, n'aurait pu se tenir plus de quelques secondes dans l'embrasure de la porte sans que Grand-mère le repousse à dix mètres. Bien qu'il n'y ait aucune incongruité à ce que Ptit-mé soit en train de s'y baigner : une cuisine, après tout, n'est-elle pas faite pour ? Ou qu'ils aient, tous deux, quelque indécence à dissimuler, car une petite mauresque, que Grand-mère a faite elle-même, comme elle a pu, couvre la nudité du petit. Ou, dans leur attitude, quelque obscénité, cochonceté à cacher. Mais rien : pas la plus petite malpropreté de chair, même pas le plus rémissible des frôlements.

Non, Marguerite ne veut que protéger son bonheur de verser, à grands coups de casserole émanchée, l'eucalyptus tiède sur les épaules de son Petit et cette joie qu'elle goûte de l'entendre gronder de plaisir – rien que sous la caresse du bain –, à laquelle personne, même pas sainte Valili, n'aurait rien à redire !

– Dis, Marguerite, tu m'écoutes ?
Elle n'a rien écouté ! Rien apprécié !
« Ssseeeu ! lâche Gaétan avec le mépris qui convient.
Et pour se consoler de l'indigence d'esprit des humains, du moins de ceux qu'il doit fréquenter, il se ressert une bonne tranche de gâteau.

3

Quoique petit à petit, Aimé se relève donc. Et le voilà maintenant qui, presque, marche tout seul. Ses deux baguettes de jambes, ses deux brins de fil de jambes, où s'enfilent la cheville et la pomme du genou, tremblent encore comme sensitives à la brise. Il avance en bourrique maigre, gêné qu'il est, de toute son ossaille. Il s'arrête ici, s'appuie là, doit – rien que pour aller rendre visite à Dame Caoudin ruminant sur son tas de fumier – prendre le bâton de goyave que Gaby lui a préparé.

Sitôt de retour, laisse-toi, Ptit-mé, tomber dans ton pliant. Plutôt, essaie de freiner ta chute au pliant vert, qu'il ne se casse ou que tu ne te casses ! Puis ferme les yeux, reprends respiration. Souris, non : exulte ! Jubile du déplissage de tes ailes, de ta remétamorphose en Vinson[1]. Car ne resteras rampant, larve, chenille, ou pire encore : concombre de mer crachant ses tripes devant le feu follet du poisson-demoiselle.

Grand-mère aussi est plus qu'heureuse. Elle rit de toutes ses dents qui sont fort nombreuses encore, et solides. La vie lui reprend, avec, à la bouche, son goût de maïs tendre, de manioc au poivre, et sur la peau l'ardeur d'un soleil neuf...
Mais, en même temps que l'enfleurissement du letchi, la nouaison de la mangue, ce chatonnement des fleurs de la canne en oreiller crevé : la campagne sucrière s'entame. Alors,

1. Papillon de Vinson.

si Margrite ne veut pas perdre le cent de la récolte de cette année, les cinquante de l'année prochaine, il faut qu'elle glisse, au plus vite, le coutelas sous sa ceinture – côté voûtement, côté dos –, qu'elle se mette au creux de la main un rampang de riz à grignoter, une zikette de morue sèche, et que, laissant Ptit-mé à Grand-père, elle s'en aille soigner son champ d'en bas là-bas du bout de la pente, le garantir de la maladie de non-récolte.

Car terre et vache, c'est tout pareil. Elle meugle à te fendre le cœur, la terre, si tu laisses le jus sucré de la canne lui distendre à craquer la mamelle, si tu ne lui dégages la mamelle. Elle meugle et pleure. Son lait de canne s'échauffe, bout et s'évapore, ou bien caille en caillots. Elle meurt, la terre. Les gens avec.

« Je vais t'expliquer, disait Grand-père. Il n'y a pas que la terre qui ait besoin de la coupe. Grand-mère aussi. Elle mourrait sans. »

Pire, Grand-père ! Pire ! Ils ont tous, depuis des générations, la folie de la coupe, dans cette famille. Antoine-Joseph, au plus fort, qui, au lieu de faire embellir et fructifier son établissement – en guettant le marché depuis ce fauteuil de cuir qu'il ne s'est jamais acheté, en cherchant, recherchant, coursant le client d'Europe, en quêtant le financement –, aimait mieux tomber l'habit élimé (la cosse de s'en faire faire un neuf !), préférait pendre la veste à je ne sais quel portemanteau d'arbre mort, puis colleter la canne de face, lui montrer si on se moque impunément d'Antoine-Joseph Bellon !

Car, sûre de sa force, elle se rit de toi, la canne ! Armée du tranchant vert de ses feuilles, de ses soies à démangeaisons, elle se moque. Alliée au gros cœur de soleil, aux avalasses de pluie, aux fourmis à crocs, elle goguenarde comme ça n'est pas possible ! Et ça, Antoine-Joseph Bellon ne pouvait le supporter, et plus encore après qu'elle s'était, pour mieux l'abattre, commise avec cette maudite betterave.

Calixte aussi – qui passait l'intercoupe, bête parmi les bêtes, bâtard parmi les siens, à débusquer le lièvre –, la Campagne[1] venue, mettait bas le paletot puant, entrait dans le premier colonage passant à sa portée, et, à la grande joie du métayer, en abattait sans trêve jusqu'à la nuit, jusqu'au retour de ses chiens partis seuls en cherche de gibier.

Margrite, comme son père, comme l'oncle, avait la folie de la coupe. Il fallait qu'elle aille forcer les barreaux de ces cannes qui emprisonnent la terre. Les faire tomber. L'un et puis l'autre. Et encore et encore et toujours. Avec – elle si douce en apparence – la rage au cœur, comme si elle mettait à bas la misère. Pas la sienne – qu'elle avait toujours vue moins profonde que celle des autres : la misère en général, celle que la canne, guêpe maçonne, pond au ventre des petits avant de les emmurer, laissant sa progéniture leur bouffer tranquillement le ventre et leur dévorer le dedans jusqu'à la peau.
Il fallait donc qu'elle y aille, qu'elle donne à ses vieux bras du manger solide, et non de ces babioles d'enfantillages de jardin – ce meublement de restant de vie de quatrième âge en attente que sont petites carottes à éclaircir, petites brèdes et petites salades à chouchouter, petits radis à protéger, petits oignons à dorloter !...
Margrite irait donc, et, quand le champ sera propre de canne, le cœur aussi sera tout aproprété. Blanc de toute souillure, il recommencera à battre, tout neuf. Jusqu'à ce que l'Herbe à mouches, le Hérisson rouge et la Traînasse l'aient à nouveau sali, et sa vie avec...

Elle irait donc. Avec, cette année, un regret : celui d'abandonner – pendant des journées entières – son Ptit-mé, son soleil de cinq heures, son rayon vert illuminant le couchant de

1. Sucrière.

sa vie. Au moins, grâce à Grand-père, le quitterait-elle sans ligoter son cœur au tracas de le savoir seul.

– Tu vois, Ptit-mé, raconte Grand-père, l'Androy, c'est d'abord l'épine. Épines à l'euphorbe, épines à l'arbre pieuvre, épines au *rakaita*. (Il n'y a que l'arbre-patte-d'éléphant, sans doute protégé de ses trois doigts d'épaisseur de cuir, qui ne voit pas la nécessité d'en avoir.) Elles sont là, toutes, qui n'espèrent qu'un moment d'inattention de toi. L'une s'enfonce dans la poussière pour te transpercer, malgré la chaussure, le pied de part en part ; l'autre, à ton passage, se dégaine à hauteur de ton bras, te le déchire jusqu'à l'os ; l'autre encore, se camouflant de cette feuille, se précipite sur toi en piqué, t'éborgne ou te fend le cuir du crâne.

Mais là, sous son casque d'écaille, se moquant bien des pointes, des piquants, des aiguilles ; déambulant son petit bonhomme de sable brûlant, de poussière rouge : la tortue. La herse d'épines se fait-elle trop pressante ? Elle ferme les yeux, enclenche la première, et passe. L'acérité est-elle trop grande ? Elle s'arrête. Et avec l'éternité qu'elle a devant elle, le piquant a perdu d'avance : il a mille fois le temps de s'émousser, de se lasser, d'oublier, de pourrir...

Sur l'épine du haut, règne le maki. Lui est toute vivacité : il s'élance, saute de porte-épines en porte-épines, virevolte. Ce singe, qui n'est pas singe, dans sa fourrure blanche de jeune phoque, fragile de tout, des mains, de la peau des paumes, du visage – car il a un visage –, est si précis, qu'après un saut de dix mètres, il trouve la parcelle d'écorce sans épines où s'attraper et tenir.

Grand-père se tait. Il revoit cette mère maki sur laquelle il tire sans tenir compte des signes désespérés que lui font « ses indigènes » – quoique anticolonialiste, Grand-père a eu des indigènes. Il entend le bruit mat – succédant à la déflagration de son Manufrance – de cette femelle tombant au sol. Il revoit ces deux grands yeux frappés de stupeur se détachant alors de la fourrure de la mère. Puis cette bouche qui se tord de douleur. Ces gémissements entrecoupés de cris...

Le petit court vers toi, maintenant. Il s'agrippe au bas de ton pantalon. Il pleure et te supplie : dans ta stupidité d'homme, tu as commis l'irréparable. Tu ne peux que le prendre dans tes bras. Tu le caresses. Tu décides de l'adopter. Tu l'adoptes. Tu veux le tendre à ton boy, qu'il en prenne soin jusqu'à la case. De boy, point ! Il a fui, le couillon !

Ton maki est maintenant adulte. Chien de classe, il comprend mieux que la majorité des hommes ; fidèle, il te suit pas à pas ; espiègle, il se moque gentiment de toi, il t'imite.

Tu te souviens de tes verres d'apéritif qu'il te sifflait à ton nez et à ta barbe. A ta barbe, sans jeu de mots, car tu en avais une à l'époque. Sans doute pour compenser ta calvitie – tu étais déjà chauve. Tu portais la barbe – un collier d'Europe –, et tu buvais du Vermouth à l'apéritif.

Et l'œuf colonial ? Non, tu n'as jamais eu l'œuf colonial, contrairement à la plupart de tes fréquentations. Car tu étais bien obligé de fréquenter tous ces colonialistes ! Sssseeeeu !... Tu te souviens de la bedaine de Samé, le directeur de la Lyonnaise de Madagascar ? Tu te souviens de cet œuf d'autruche qu'il trinqueballait au-devant de soi ? Pas d'autruche, d'Æpyornis – l'oiseau géant, le vorom'bé, comme on dit dans l'Androy. Vorom'bé, le mot qui te revient !...

Toi, tu avais le ventre plat et les femmes aimaient. Les rares Blanches, parce que les Antandroy, du moment que tu étais blanc, cela faisait plus que suffire !

Les femmes ! L'amour dans les hamacs, sur les saisies [1], les

1. Nattes.

palmes tombées, le sable banc ! L'amour à sexe que veux-tu !...
Gaétan Bénard pose la main sur son ventre – œuf que le
Vorom'bé ne renierait plus maintenant, surtout depuis qu'il
bénéficie des gâteries que Marguerite fait à son Aimé. Elle se
fait toute petite, cette main, elle glisse sur l'œuf géant, elle descend vers la zone interdite. Arrivée à la frontière du pantalon
qu'aucune ceinture ne bloque ou veille – Bénard porte des bretelles –, elle ose, cette main, elle plonge sous la toile kaki, elle
cherche la fente du caleçon...

– Mais Bénard, tu ne vois donc pas où est rendu cet enfant !
La voix exaspérée de Grand-mère – forte malgré la fatigue
de toute cette journée de Stalingrad – fait sursauter le vieux
qui retire précipitamment la main. Très vite, une bouffée de
colère le prend. D'abord pour ce saisissement qu'il a eu
(l'intrusion de Grand-mère dans sa conscience !), ensuite pour
le reproche et l'acerbe de la voix ! – et puis sa rêverie cassée ! –
et puis peut-être aussi a-t-elle vu la main !
– Je ne vais quand même pas l'attacher dans son pliant !
(« Un moment d'inattention, et il va se foutre à portée de
corne, ce petit crétin ! Je ne l'ai même pas vu se lever, et le
voilà déjà à l'autre manguier... »)

Ils l'exaspèrent, tiens ! tous les deux. Alors il se lève pour
aller jusqu'à la boutique, discuter avec Mane-ti. De politique,
évidemment. Du droit des peuples à disposer d'eux-mêmes.
De l'Indochine, quoi ! Et il s'offrira du vermouth (ce qu'il ne
faisait plus jamais), et il dira qu'on le marque sur le carnet-
crédit de la vieille (ce qu'il fait d'ailleurs toujours pour les
rares petites bricoles qu'il s'achète encore).
Il te fout son camp, Gaétan Bénard, et ne rentrera que pour
le dîner !

Cette remarque mise à part, qui lui a échappé, Grand-mère

n'a rien dit. Il y a, paraît-il ? des pays où une « bonne engueulade » soulage, libère, est même ferment de bonne entente. Grand-mère ne comprendrait pas ce langage-là. Elle pense qu'avant de le lancer, le reproche, il faut attendre qu'il ait bon poids. Au début, ça n'est qu'un sac vide et qui ne tient pas debout. Souvent, peu à peu il se remplit, – mais il se peut qu'il se bonde d'un coup ! Alors il est prêt à être lancé. Quand on décidera de le faire, il écrasera, déchirera, mortifiera. Mais on peut aussi attendre encore un peu, en espérant, ce qui arrive aussi, que, du temps ou de la réflexion, il se dégonfle.

Aujourd'hui, Grand-mère n'a même pas l'intention de ramasser ses reproches pour une autre occasion. Elle ne mettra le sermon à la couveuse, l'acrimonie à la rancune. Elle n'a donc rien dit. D'autant plus qu'un haler-pousser, une dispute, aurait prolongé la présence du vieux et l'aurait privée, elle, Grand-mère, de ces instants bénis où Ptit-mé n'est plus qu'à elle seule...

Pas de folles démonstrations, lors de ces instants-là. Une tendresse utile : tu lui prends d'abord le bras pour l'amener jusqu'à la mûrisserie de fortune, le trou creusé en terre où tu forces la banane et la vavangue. Puis tu l'assois sur ton petit tabouret, à peu de cette fosse qu'un couvercle de terre plus meuble distingue à peine, tu te réjouis de l'attention qu'il porte au moindre de tes gestes lorsque tu grattes au « fer » ledit couvercle. Tu apprécies ses conseils de prudence (« Attention, Grand-mère, la banane est fragile ! ») lorsque ta houe arrive à l'emballage de feuilles de bringellier. Tu savoures ses petits cris de joie lorsque tu lui allonges la main dans la vapeur tiède venant du cœur du puits à mûrir. Tu savoures le contact de sa main.

Voilà enfin les premiers fruits. Tu les poses carrément sur ses jambes : ils sont tout chauds. Aimé rit. Tu es heureuse de voir que tout son corps recommence à rire avec lui.

La banane est encore verte de peau – d'un vert cassé de marron –, mais elle s'épluche bien ; elle est tendre sans colmater la bouche. Elle est bonne à la langue. Grand-mère dit qu'il vaut mieux les sortir toutes du trou. Ptit-mé, la bouche pleine, approuve.

Le fossé rebouché, Margrite décide de se mettre vite, malgré sa lassitude, à la préparation de son manger du soir. Elle ne veut pas qu'à son retour de chez Mane-ti, le vieux puisse lui sortir quelque formule désobligeante du genre :
– Un homme de mon âge devrait pouvoir manger à une heure décente !
Il est parti furieux, le Bénard, il n'y a aucune raison pour qu'il ne lui fasse un boudin de six gaulettes de long à son retour. A la vérité, ni son boudin de boudinerie ni même un éventuel furibard n'apeure Margrite, mais elle aspire – à défaut d'entente – à la paix.

Et comme elle le préparera de toute façon, ce repas – et d'abord pour Aimé –, tant qu'à faire, elle se dépêche de mettre riz et cari sur le feu. Et dès qu'il rentrera, didîne au Bénard, sa petite banane-dessert, et puis, au dodo, le vieux ! Elle, elle gâtera un peu le gosse, le mettra calmement au lit, puis se prendra du courage et se fera ce long bain de souveraine que ses jambes espèrent depuis si longtemps.

Ce soir, Grand-mère – après son commencement de haler-pousser avec le vieux, et les Colâtes ne tombant pas en manne quotidienne pour le mettre en joie – s'attend donc au cari de boudin. Elle n'appréhende pas : la mer bat et rebat sans qu'elle en souffre. Elle est fourmi qui marche aussi bien sous la terre que dessus. Elle est feuille de sonje que l'eau ne peut mouiller. Et s'il braie trop fort, elle se mettra deux bonnes graines de bidasses[1], deux boules de coton, dans les oreilles ; chante, alors, le Bénard, dont l'anniversaire n'est pas pour demain !

1. Nèfles.

Joie et stupéfaction : il est charmant, ce soir, Gaétan ! Le vermouth (que Mane-ti n'a, d'ailleurs, ni fait payer ni marqué sur le compte de Grand-mère) y est sûrement pour quelque chose. Non seulement par son degré d'alcool, mais aussi par tous les souvenirs qui l'accompagnent.

Il est charmant, Gaétan ; et Grand-mère, agréablement surprise, est vite gentille. Car tout compte fait, elle n'a pas grand-chose à lui reprocher, aujourd'hui : ça n'est pas la première fois qu'elle lui voit la main dans le caleçon – Ptit-mé en a sûrement connu d'autres. Les vieux ont souvent, ainsi, besoin de cajoler, de consoler leur moutard. Quand ils sont jeunes et mâles, les hommes sont fils de leur sexe ; lorsqu'ils vieillissent, les rôles s'inversent en s'amplifiant : ils ont alors pour lui des attentions de nourrice.

Quant à l'histoire du trop près de la vache, il a raison, Gaétan : on ne peut attacher Ptit-mé dans son fauteuil. Aussi amènera-t-elle Dame Caoudin aux champs avec elle, ce qui permettra, d'ailleurs, à ladite dame de manger tout son content de paille de canne, et allégera d'autant le fourrage à ramener, à tête, après le travail.

Gaétan, ce soir, a même – Marguerite apprécie – enlevé son vieux chapeau de feutre avant de se mettre à table. Il a passé un vrai coup de peigne dans sa couronne blanche. Il n'a pas poussé de grognement quand Grand-mère a d'abord servi Aimé (ce qu'elle n'a jamais fait pour elle-même, elle le fait toujours, et sans l'ombre d'une hésitation, pour son petit ; et que le vieux grogne ou pas, c'est à peu près le même tarif !).

Mais, il n'y a pas de grogne ou de mécontentement, aujourd'hui. Gaétan blague, discute, explique, expose. La pénicilline et Fleming. Et puis, comme toujours, l'Androy finit par en être :

– Le Sud, c'est la débrouille et l'antigaspi. La nature elle-même donne l'exemple, qui connaît la seule vraie valeur du pays : l'eau. Chaque plante a les racines qu'il faut pour recueillir le précieux liquide sur une surface dix fois plus grande qu'il n'y paraît. Tu vois un kaniki d'arbrichon, essaie donc de l'arracher ! Si tu y réussissais, il te dévidrait une immense chevelure souterraine qui lui sert à attirer la moindre petite molécule d'eau, la piéger, l'aspirer...

« Et cette touffe d'herbe sans bouche et sans mains (elle pend de l'arbre et n'a pas de racines), qui tourne ses feuilles vers le seul nuage à eau de tout le ciel. Et tous les arbres qui se difforment de réserver l'eau : l'Arbre-bouteille, la Patte-d'éléphant, le Ventre-baobab. Gros comme la maison, ils sont, les ventres-baobabs. C'est l'eau sous pression qui les fait tenir debout. Il suffit au voyageur qui ne veut pas mourir de soif d'amener ses robinets. Il creuse un trou dans l'écorce de l'arbre ; il adapte la robinetterie : il est paré. Il peut avancer sa dame-jeanne, son bandèze, sa cuvette, sa bassine. Mais l'arbre en même temps se dégonfle, il n'en reste bientôt plus qu'un petit tas que le voyageur peut rouler et mettre dans sa poche s'il le veut !

« Avec ça, économes, les plantes de l'Androy, comme tu peux pas savoir. Ces petites bouches (les stomates, on les appelle des stomates) qui chez toutes les plantes crachent la vapeur d'eau vers le ciel, sont, chez elles, presque toujours fermées. Tous les autres trous sont soigneusement clos, au vernis, à la cire. Pas une miette d'eau n'est perdue...

Tous ces causements de Grand-père font Ptit-mé heureux. Il bée d'étonnement, est aux anges, rit. S'il savait ce que battre des mains veut dire, il n'hésiterait pas, d'autant plus que la force de le faire est maintenant revenue.

Grand-mère aussi est heureuse. Du bonheur de Ptit-mé. Si heureuse elle est, que l'idée ne lui traverse même pas l'esprit que l'économie, dont parle Grand-père, porte d'autres noms

103

quand elle franchit certaines limites ; que les baobabs ne gobent jamais les œufs des poules des autres ; et qu'ils paieraient leur part de bouffe, s'ils étaient êtres humains ! Elle ne pense à rien de tout cela. Elle est heureuse, Grand-mère, pour son Aimé. C'est tout.

4

Grand-mère laisse tomber aux pieds de la maison, sous la saillie de tôle, son énorme botte de têtes de cannes. Elle se redresse, s'essuie le front d'un revers de manche, avant de dénouer, à sa taille, le licol de la vache :

– Pas touche, mademoiselle Caoudin, elle dit (le « mademoiselle » étant pure dérision, la Caoudin lui ayant déjà fait deux veaux et les centaines de litres de lait qui vont avec...). Pas touche, c'est pour demain. Et il faudra que tu en profites, parce que je ne sais pas ce que je vais te donner après.

Plaisanterie, Margrite ! Tu ne dis cela que pour plaisanter. Tu peux : la coléreuse Caoudin comprend, a même de l'humour, quand sa panse est pleine jusqu'à ras bord. Elle sait bien, maintenant que la coupe des cannes est finie – et sa manne de fourrage frais –, que tu écumeras haies et fossés, bordures des jardins, entourages des cours, et qu'au bout rien ne lui manquera jamais, ni le mosa en gousse, ni le laiteron tendre, ni le jeune sornet, ni l'herbe grasse...

Margrite se redresse, déplie ses reins. Non, pas ses reins : elle n'en a pas (au pays, seuls les vieux peuvent prétendre avoir des reins, et raclée au jeune qui, s'en inventant, se plaindrait d'y avoir mal !).

Elle attache la Caoudin à son manguier. Au bassin à monbruns et anguilles – anguilles oui : elle vient d'y mettre deux petites, hier, cadeau de Mane-ti –, elle débarrasse son visage et ses bras de leur gommage de sueur et de poussière... Des gestes faits, depuis des semaines, au même soleil tout juste couché, dans la même petite brise montant des bas, mais qui, aujourd'hui, prennent un autre goût, sont d'une autre étoffe.

Il y a dans ce nœud au licol, dans cette toilette rapide – le grand bain ne viendra qu'à la nuit –, de francs airs de point final. La fatigue de Grand-mère se sublime, ce soir, en sentiment du devoir accompli. La transmue aussi, la joie de l'élargissement, l'orgueil de la victoire. Grand-mère a jeté bas, tout à l'heure, le dernier barreau de la canne-prison. Elle est soulagée, heureuse, libre !

Heureux aussi, Ptit-mé, qui interpelle Grand-mère du haut de l'escalier conduisant au garage – cette remise à milords, dont Gaétan, quand il a épousé Marguerite, a fait son garage, ou plutôt la tombe à « Pour Cythère... »

Heureux donc, Ptit-mé, d'avoir pu gravir les douze marches et sans bâton ! Mais ce bonheur calme a vite fait place à l'exultation d'avoir, par les jointures de la porte, découvert la belle, trop belle – seule façon de se faire payer une dette, car Grand-père ne l'aurait jamais achetée –, la magnifique, trop magnifique, la noire, la luisante (malgré la poussière), la quinze chevaux six cylindres, la traction avant de Grand-père.

– Ce qu'elle est superbe ! Tu peux pas savoir comme elle est superbe !

Il n'y a que Grand-père à ne pas être heureux. Mais au lieu du gueulement qu'il pousse d'habitude lorsqu'il est mécontent, il ne fait que gronder, grogner, maugréer. Car, en fait, il ne peut, pour l'instant, rien reprocher à Ptit-mé, encore moins à Grand-mère. Il a pourtant compris ce que la découverte du petit allait lui occasionner comme enquiquinements. Car elle va en faire lever de ces envies qu'on lui avouera ou non, « Pour Cythère... » ! De ces souhaits que Grand-mère formulera plus ou moins clairement : son désir que les désirs de Ptit-mé !...

Non, suffit ! Grand-père ne prendra pas l'énorme clé qui pend au clou, dans sa chambre ; il ne montera toutes ces marches ; n'ouvrira la porte du garage : ne laissera ce gamin d'abord s'asseoir au volant, pour ensuite lui demander de se pousser, que lui, Gaétan, essaie de mettre la voiture en route.

La plaisanterie promet d'être bonne, que ces deux-là sont en train de lui concocter. Mais il n'est pas décidé de se laisser faire, Gaétan : « On ne manœuvre pas le père Bénard » ! Il les laisse en plan, leur tourne le dos, et s'en va faire un tour jusqu'à la boutique...

Le soir, à table – et Grand-mère sent confusément qu'il s'agit de représailles –, le vieux dit :

– Tu ne crois pas, Marguerite, qu'il est grand temps que cet enfant retourne à l'école ?

Grand-mère, qui épluche une mangue de fleur précoce pour son Ptit-mé, ne bouge d'abord pas. Elle continue son geste, comme si de rien n'était, puis lève, calmement – en apparence ! –, les yeux vers son petit-fils. Lui, Aimé, pas sitôt finie la phrase du vieux, déjà la regardait. Il n'a rien dit, mais ce visage d'abord angoissé, puis très vite implorant, est la plus claire des réponses.

Grand-mère reprend son épluchage, yeux baissés. De quoi se mêle-t-il, le Bénard ? Lui a-t-on demandé l'heure qu'il est ? Le temps qu'il fait ? Le problème devait être posé un jour ou l'autre, mais pourquoi fallait-il que ce soit lui qui le fasse, et si tôt ? Ne pouvait-il, maintenant qu'elle n'était plus obligée de quitter Ptit-mé à la pointe du jour pour le retrouver à la brune, les laisser, elle et lui, tranquilles, ensemble, au moins quelques semaines ?

Grand-mère lui en veut, à Bénard. Elle ne lui en voudrait pas s'il avait tort. Hélas, le petit – lentement sans doute, en prenant son temps, bien entendu – est fort capable de faire les deux tournants qui mènent à l'école.

Mais, que Grand-mère le veuille ou non, il faudra bien que Ptit-mé tente un jour le coup de l'instruction. Avec la déjà dite, le fer de pioche prend douceur de stylo à plume, le bois-de-cul se capitonne de cuir, la vieille table et sa luxation congénitale de la patte devient solide bureau de tamarin verni, les caris de faiblesse (bouillons d'herbe et citrouille d'eau) se convertissent en puissants pigeonneaux-petits-pois. Et l'on passe du fourrage à l'essence, de la charrette à la voiture. La passagère même, de vieille serpe aux dents pourries, ventre flasque qu'elle est ! se métamorphose en cils à mascara, seins et petit cul à dentelles noires. Et en avant pour le bonheur, du moins pour l'aisance qui lui est synonyme !

Malgré ses soixante-quatorze ans bientôt, Grand-mère comprend tout ça. Elle pose les problèmes en toute lucidité, jusque, y compris, les dentelles noires. A-t-elle le droit de priver son petit de ces dessous affriolants, des seins fermes et du petit cul livrés avec ?

Elle tend la mangue à Ptit-mé. Sa pensée court toujours :

Mais peut-être, après des années d'effort, n'aura-t-il rien d'autre qu'une immense amertume n'osant même pas dire son nom, que des complexes à n'en plus finir. Et cette immanquable culpabilisation. Alors, à quoi auront servi toutes ces privations ? Ces interminables séances de

Deux fois deux, qua-treu
Takatak, six
Tikitik, huit
Hiankanhiank, dix ?

Passons pour les tables qui, d'une manière ou d'une autre, lui serviront toujours, mais ce Gallieni qui fait manger du pain aux petits lapins malgaches, Bugeaud et sa smala, le fameux Mont-Gerbier-des-Joncs et ses affluents de rive droite !

A mettre encore en balance le cas Huguette, la fille de Mme Nièl, la voisine, qui, depuis qu'elle a ses deux bachots et cette bonne place de maîtresse de je ne sais quoi, fait à sa mère une vie de noir à l'échelle, lui interdisant de sortir, de parler, même de téléphoner sans demander la permission, surtout sans avoir (pour le téléphone) répété après elle, la petite garce ! le nombre de fois qu'il faut, le message en français « correct » :

– *Je ne peux pas venir vous voir.* Redis-moi ça !
– *Je ne peux pas venir vous voir...*
– *Je le regrette...*
– *Je le regrette...*
– *Mais je vous souhaite, de tout cœur, un bon anniversaire.*
– *Mais je vous souhaite...*

D'où sort-elle son orgueil, cette jetumoi qui acceptait bien, l'autre jour à peine, de manger la patate [1] que Grand-mère lui sortait de la ration cuite de Dame Caoudin, et qui, maintenant, ne lui dit qu'un bonjour distant ? D'où sort-elle sa morgue ? sinon de son école, de ses bacs rouillés-percés-cabossés, de sa voiture de gros-Blanc, de son téléphone ?

Inhïa ! Cassement de tête et compagnie que cette histoire d'école ! Grand-mère se lève, va, jusqu'à la porte, se verser le fond du broc d'eau sur les mains jaunes et poisseuses du jus de la mangue un peu trop mûre.

– Tu ne penses pas, comme moi, qu'il est grand temps que cet enfant retourne à l'école ?

Le voilà qui remet ça, et qui « pense » ce coup-ci ! C'est l'escalade ! Ne tombe pas dans son escalade. Mais réponds, malgré tout. Il faut que tu répondes, Margrite. Il le faut ! Trouve donc un peu de calme et une formule évasive. Gagne quelques heures au moins :

– J'y réfléchis, Bénard, j'y réfléchis.

1. Forcément douce.

Même s'il a un haussement d'épaules, un « Ssseeeu ! » discret mais suffisamment net, le vieux te donnera un peu de répit. Quant à Ptit-mé, un mot gentil, un baiser de bonne nuit plus tendre encore que d'habitude, et il se calmera jusqu'à demain.

Dire que le monde s'effondre autour de Ptit-mé, quand il voit, le lendemain matin, Grand-mère habillée d'officiel – robe noire, chaussures fermées, chapeau de femme –, serait exagéré. Il a eu le temps, depuis la veille, de se faire un commencement de fatalité. Lui, qui n'arrête pas de se répéter que ses carottes sont cuites, que ses gros pois ne sauraient tarder, ne maudit pas – même intérieurement – Grand-père, sauf quand il lui entend dire :

– Tu ne crois pas que tu devrais l'amener avec toi ?

Heureusement qu'elle est là, Grand-mère :

– Pour qu'il vienne, il faudrait qu'il ait un bon vêtement. Et tu sais bien qu'il n'en a pas. Et je ne vais pas lui faire faire culotte et chemise neuves tant qu'il ne sera pas inscrit !

Un peu anxieux, quand même, le Ptit-mé, quand il voit Grand-mère disparaître au tournant L'arroseuse.

Cette anxiété se défait vite. Car très vite Grand-mère revient. Elle déclare d'emblée qu'il est impossible, avant longtemps, d'inscrire Ptit-mé à l'école. Elle lui donne, à lui Ptit-mé, complétant sa joie, une pièce à dépenser – tout de suite ! – à la boutique (il sera bien capable d'y aller seul et sans canne).

Profitant de l'occasion qu'elle s'est ainsi créée, Grand-mère explique au vieux – pour s'éviter d'interminables querelles – les raisons de cette impossibilité : la directrice exige tête et tripes de morue sèche, qui, comme chacun sait, sont restées sur les bancs de Terre-neuve. Elle impose une lettre du médecin de l'hôpital, une radiation de l'ancienne école, un papier de la « Population » disant que Grand-mère est tutrice légale, à défaut le certificat de décès des parents, et une double fiche familiale d'état civil.

Grand-père – lui qui s'énerve et bout plus souvent qu'à son tour –, Grand-père ne fait aucune remarque, ne pose pas de questions, et prévient même du retour, plus rapide que prévu, du petit. Alors, comme s'il se désintéresse du problème, il se lève en s'aidant de son bâton, se dirige vers le salon où est accroché le calendrier. La mort du saint du jour ayant été particulièrement atroce, il en sort tout ragaillardi.

Margrite, elle, n'est pas à la fête. Elle se déchange de son bon vêtement. Elle se resavonne le visage, les bras, les mains, pensant se débarrasser de cette tristesse qui l'envahit, espérant se laver de l'angoisse qui, sournoisement d'abord, puis de plus en plus nettement, commence à l'étreindre. La toilette n'y faisant rien, elle tente de faire appel à la colère, qu'elle aurait mille raisons de prendre rien qu'en pensant à l'attitude de la directrice :

– Il a bien un père, cet enfant, je veux voir le père.

« ... La mère, il faut que la mère vienne.

« ... On vous a dit qu'elle était morte ! Mais vous n'y êtes pas allée voir !...

Et si cette saleté disait vrai ? Et si l'autre, un beau matin, débarquait et réclamait son fils ? Que ferait-elle, Grand-mère, non pour que Ptit-mé reste – elle sait qu'elle se battrait toutes griffes dehors pour le garder –, mais pour le préserver de ces affrontements, pour qu'il n'en soit à jamais bouleversé ?

Alors Grand-mère remet sa bonne robe, son vrai chapeau, ses chaussures :

– Elle veut un certificat de décès : elle l'aura !

5

Si Grand-mère obtint facilement la preuve écrite des décès, ce qui la rassura d'une part (de voir « l'autre » morte noir sur blanc) et d'autre part raviva son chagrin (pour son Joseph), l'obtention du certificat de radiation s'avéra impossible : à partir du jour où son père était mort, l'enfant n'avait plus remis les pieds à l'école.

Grand-père, après s'être scandalisé – à voix basse, s'assurant bien que Ptit-mé n'entendait pas – contre « l'attitude rétrograde de cette mère irresponsable qui refusait l'Instruction », se dirigea vers son exutoire de boutique. Là, au comptoir où il prit son vermouth du soir – avec d'autant plus de plaisir que Mane-ti le lui avait, cette fois encore, offert –, il vitupéra l'intransigeance, le sectarisme, l'étroitesse d'esprit de la directrice de l'école « d'en bas » :

– Ces « insteuteuteurs », sssseeeeu ! gavés qu'ils sont par la départementalisation que les communistes, comme moi, Gaétan Bénard, ont obtenue du Parlement français alors que cela ne nous rapportait rien !... Pour un chiffon de papier, elle refuse d'instruire mon petit-fils, un garçon ouvert, fin, intelligent, curieux, et qui vaut mieux que tous les « franctionnaires » du monde !

Dès son retour chez Marguerite, à peine les premières bouchées du repas avalées, Gaétan déclara, faussement solennel :

– Monsieur Aimé, c'est moi qui prendrai votre instruction

112

en main. N'y voyez-vous point d'inconvénient ? Alors, demain, à neuf heures précises, leçon de choses, puis poésie, puis orthographe, peut-être calcul...

Peut-être seulement calcul, car Gaétan n'aime ni calculer ni compter. Et même pas l'argent, surtout pas l'argent. Il est avaricieux, pas avare :

« L'argent, ssseeeuu ! A chacun selon ses besoins et merde à l'or... dur ! C'est une question de philosophie. La philosophie, tiens ! il faut l'inscrire à ton programme.

La philosophie ? Aimé n'avait, bien évidemment, jamais entendu prononcer ce mot. De toute façon, l'école, même faite par Grand-père, il n'avait rien pour. Margrite, par contre, était heureuse à ne pas dire. Elle aurait embrassé Gaétan d'avoir pris cette décision : Ptit-mé pourrait apprendre, il n'irait pas à cette école qu'il ne voulait pas, et elle, elle pourrait voir son petit toute la journée.

Plus tard, quand il aura fait tous les progrès qu'il faut, Grand-mère recommencera une démarche auprès de la directrice. Et attention à elle, si elle refuse ! Il y a bien des inspecteurs, des vice-recteurs, des contrôleurs, à ces écoles ! Il y a bien des journalistes et des journaux. Grand-mère, elle-même, prendrait sa plus belle plume, et gare ! Elle n'avait pas eu beaucoup d'instruction d'école sans doute (Antoine-Joseph trouvant les maîtres de Vincendo par trop médiocres avait vite retiré ses enfants des bancs), mais ces concours de « jolies phrases » que la famille faisait tous les soirs, et par écrit, s'il vous plaît, lui serviraient enfin. Elle en trouverait des phrases, sans doute moins belles que dans le temps, mais mordantes à souhait, tranchantes comme nécessaire :

– Et je te fais serment, Grite Bellon, que Ptit-mé entrera par le grand barreau[1] dans cette école !

1. Portail.

Le lendemain, jour de rentrée à l'école de Grand-père, Margrite pense tout haut qu'il faudrait à Ptit-mé « un cahier neuf, un crayon à bille, une règle, bref toutes les petites couillonnades indispensables aux marmailles-l'école ». Grand-père, s'effrayant d'être la cause de tant de gaspi, ramène les dépenses à de plus justes proportions :

– Un petit carnet sera bien suffisant. Et puis une plume et un pot d'encre, à moins que « la bille » soit moins chère. Je ne suis pas contre la modernité, c'est évident. Mais ça n'est pas elle qui fait la valeur d'un enseignement. Ceux qui ont la tête en place s'en sortent toujours, malgré les difficultés matérielles ou morales. Mon fils, par exemple...

La parole de Grand-père se brise net. « Mon fils »... les mots à ne jamais dire. Inquiet, il regarde Grand-mère, qui, tout occupée à refaire la raie du petit, à lui remettre les bons boutons dans les bonnes boutonnières, n'a, semble-t-il, rien entendu.

– Il n'est que huit heures et demie, elle dit même. Nous avons largement le temps, Ptit-mé et moi, d'aller chercher les effets chez Mane-ti.

Grand-père, resté seul, revient à son fils. A ces paroles qui lui ont échappé. Son inquiétude ne s'est dissipée que pour faire place au dégoût de soi :

« T'en es fier, hein ! Tu t'en vantes ! Ça, pour avoir réussi, il a réussi ! Et dans les contributions indirectes, s'il vous plaît ! Ils l'ont fait exprès ces deux salauds, cette vieille frigide et ce vieux châtré, la mamie et le papie dont Monsieur l'inspecteur parlait avec respect. Car il était déjà inspecteur, à trente ans, quand tu l'as vu pour la première – et tu l'espères – dernière fois... »

Votre entretien avait commencé par un monologue. Son monologue. Car tu te gardais bien de l'aider en disant quoi que ce soit, mais tu n'en pensais pas moins :

– On m'a dit que vous étiez mon père.

(Son géniteur, il veut dire ! S'il savait comme je me fous d'avoir ou non fourni « son » spermatozoïde !... Il n'a rien d'Esther. Si au moins il ressemblait à Esther, mon Esther, ma petite Esther... S'il avait cette contradiction profonde entre, d'un côté, une peau si fine qu'elle en était diaphane, une fragilité extrême, une grande douceur ; et de l'autre, cette ardence au fond des yeux, cette volonté, ce caractère... Lui réussit à être épais – de peau, d'arcades, de menton – et maigre en même temps. Rien d'Esther. Tout de la vieille garce.)

– Papie et mamie n'ont jamais dit du mal de vous.

(Et moi, si je me laissais aller, tout celui que je pourrais dire d'eux. Et d'abord d'avoir fait de toi ce petit crâneur, ce petit bourgeois à médaille de vierge – en or ! – autour du cou, ce pourri à bracelet d'argent – et le prénom gravé dessus ! Comment t'appelles-tu ? Patrice , Fabrice ? Tiens, si tu crois que je vais me tordre le cou pour savoir ton prénom ! Gabriel peut-être. Oui, Gabriel.)

– Je vous ai cherché rue du Grand Canal...

(Tu retardes de dix ans, mon pauvre. En août 42, je n'habitais déjà plus rue du Grand Canal.)

– En désespoir de cause, j'ai demandé votre adresse à maman. Elle me l'a immédiatement donnée. Elle semblait heureuse que je veuille vous connaître.

(Esther est vivante. Trente après, elle se souvient de toi. Elle connaît toujours ton adresse, après quatre de tes déménagements dont l'Androy ! Elle t'a donc suivi pas à pas. Elle t'aime toujours. Elle t'aime et tu en as, toi, trente ans après, les mains moites, le cœur qui bat à tout casser... Te laisse pas aller, Gaétan ! Ressaisis-toi ! Le papie et la mémé sont toujours bien vivants, eux aussi !)

– On m'a dit que vous étiez athée. Est-ce vrai ?

(Excellente question, mon petit bonhomme ! Que tu as bien fait de me la poser ! De me parler d'Esther, tu commençais à te rendre sympathique. Te voilà maintenant redevenu le petit merdeux que tu es. Et je te dis : Attention à la contre-attaque.)

– Évidemment que je suis athée. Qu'est-ce que vous croyez ?

Et il a eu son content, le petit-fils à la vieille garce ! Et pas seulement dans le domaine de la bondieuserie ! Il en a aussi pris pour son grade d'inspecteur des fraudes. Je lui ai même dit en déterrant le col de cygne de mon alambic à rhum marron :

– Il est en parfait état de cuite. Le temps de fermenter quelques dizaines de kilos d'ananas...

Et puis, je lui ai raconté l'histoire de Mutel, mon associé – mon acolyte s'il préférait – qui, dans son piton, prévenu de l'arrivée des gendarmes à pied par l'ouverture au soleil de linges blancs sortis exprès des armoires pour être étendus secs au soleil, et de maison en maison, de linge en linge, de complicité en complicité, avait bien une heure d'avance sur les tourlourous.

Alors, après avoir tout mis en lieu sûr, l'alambic et les bouteilles, il avait patiemment attendu, un estagnon vide à la main. Et il s'était mis à fuir, comme un forcené, à leur arrivée. A travers ronces exprès, champs de pierres coupantes, nids de guêpes, ravines en crue. Ralentissant, quand il le fallait, accélérant à peine, au moment d'être rattrapé. Au bout d'heures et d'heures de poursuite – il lui en a fallu de la bonne volonté pour que la « loi » ne le perde pas ! –, quand, exténuée, fourbue, piquée, déchirée, meurtrie, ladite « loi » allait abandonner, mon Mutel s'est laissé prendre. Alors, quand les gras cochons roses ont mis leur groin à l'ouverture de l'estagnon – qui ne sentait que l'essence de géranium –, lui, tremblant d'une prétendue frayeur :

– Je n'ai rien fait ! je vous le jure. Je n'ai rien fait.

– Mais pourquoi donc nous cours-tu devant ?

– Parce que vous me courez derrière, tiens !

Il n'a pas l'air d'apprécier mon humour, Monsieur l'inspecteur des contributions indirectes, ni ma petite occupation illicite. Pourtant il n'en dit rien, sauf cette question qu'il pose avant de partir :

– Maman était-elle au courant ?

– Sinon, pourquoi m'aurait-elle disputé chaque matin quand je la conduisais jusqu'à la porte de l'église ?

(Il m'emmerde sacrément ce petit foireux-là !)

Grand-mère et Ptit-mé apparaissent au ponceau.

– Déjà ! pense Grand-père en sortant de sa poche sa montre-bracelet – qui a perdu son bracelet. Neuf heures moins dix ! Eh oui ! il est temps.

Grand-mère, qui, sauf situation exceptionnelle, ne demande l'heure qu'au soleil, croit que Gaétan s'impatiente :

– Dépêchons-nous, elle dit à Ptit-mé. Ne faisons pas attendre Monsieur ton maître.

Grand-mère avait décidé qu'elle n'assisterait pas aux

117

leçons : elle ne voulait pas être fourre-nez, levier d'intrusion entre l'élève et le maître, mouche du coche, pire : contrôleur des travaux d'autrui. Aussi, à neuf heures moins deux (heure de Gaétan) avait-elle déjà sa vieille robe de la terre, sa serpette passée à la ceinture côté dos ; à neuf heures moins une faisait-elle un petit signe affectueux à Ptit-mé qui, déjà assis sur son tabouret, face à Grand-père, attendait que celui-ci – montre en main – déclare ouverte la rentrée des classes ; à neuf heures passait-elle le petit ponceau de l'allée, le cœur bizarrement chagrin de laisser Ptit-mé à l'école.

En adepte – du moins le croyait-il – de Rousseau, Grand-père tenait en haute estime la leçon de choses qu'il disait quelquefois « leçon de vie ». Aussi, la nouvelle scolarité de Ptit-mé débuta-t-elle par une de ces leçons :

– Tiens, va donc me chercher le lapin gris !

Après avoir effectué un rapide survol du pelage de la bête, qui la rangeait dans l'éminente classe des mammifères, après avoir tenté d'observer ses incisives en biseau, qui en faisaient un rongeur – et peut-être même un lagomorphe ! –, Grand-père en vint au but de la manœuvre :

« Sais-tu reconnaître le mâle de la femelle ? »

Et, sans attendre la réponse :

« Attrape-moi ça ! dit-il à Ptit-mé en lui tendant les pattes de la bête.

Lui-même, d'une main tint les oreilles du jeune lapin, et de l'autre un peu tremblante – l'âge ou l'émotion ? –, se mit à fouiller dans la forêt de poils de l'entrecuisse.

« Regarde, tiens ! ces deux boules. Qu'est-ce que cela peut bien être ?

Ptit-mé, au lieu de répondre, était devenu – sang et fort teint de métis mêlés – rouge-brun, cerise, mais du Brésil.

Grand-père se fâcha :

« Ah, non ! Pas toi ! Pas ce genre de tabous ! C'est la curaille qui a inventé le tabou ! A bas le tabou ! A bas la curaille ! Ces choses dont nous parlons (Grand-père, à ce moment précis, cocassement baissa la voix de deux tons, voire de trois – un colporteur fatigué, comore probablement, ayant posé ses deux lourdes valises sur le ponceau et risquant de l'entendre)... ces choses-là, c'est scientifique : on peut en parler librement... Ce lapin est un mâle. C'est un mâle. Ces boules s'appellent des testicules. Tes-ti-cules...

« Tiens, assieds-toi là maintenant, je vais te dicter l'essentiel que tu apprendras pour demain. Attends...

Et Grand-père, fermant son visage de ses mains, commença à improviser un résumé dont défunt Buffon aurait été jaloux :

« Le lapin virgule mammifère doux et paisible virgule se mange en civet. Le mâle virgule, le mâââle...

Alors – sans doute pour chercher quelque inspiration dans la nature alentour – il ouvrit son visage, et s'aperçut que Ptit-mé n'avait rien écrit. La raison en était simple : Ptit-mé ne savait pas.

Bourré de cette patience qui, le jour de leur entrée en fonction, descend sous forme de langue de feu sur les apôtres de la pédagogie, Grand-père se mit à noter en lieu et place de Ptit-mé, ce qui permettrait à ce dernier, malgré tout, d'apprendre sa leçon. Ptit-mé ne savait pas lire. Alors Grand-père, étonnement passé, décida de le lui apprendre. Dès demain...

Demain arriva. Grand-mère, fidèle à elle-même, à neuf heures moins deux, serpette à la ceinture, franchit le ponceau de l'allée : elle avait trouvé en la quête à l'herbe fraîche – petit déjeuner à Dame Caoudin – bon et définitif prétexte pour s'éclipser.

Grand-père, après un cours purement oral sur l'absence d'appareil copulatoire chez le coq, se lança dans la première leçon de lecture.

En guise d'abécédaire, en l'absence de tout manuel, il opta pour le dernier numéro de *La Calotte* :

– Regarde, Aimé : ce bâton avec un point dessus, c'est un « i ». Une canne, deux cannes, trois cannes, voilà un « m ». Un autre bâton et son point, je lis « imi »...

Je reprends : « imi... tons les Russes et les Chinois... » Regarde, regarde bien l'image. A grands coups de pied au cul, il faut les vider, les curés. A grands coups de pied au cul !

Ptit-mé éclata de rire. Son « regarde l'image » et le ton que grand-père avait adopté lui en donnaient le droit. Cette image elle-même – ces deux bonshommes déguisés, qui flanquaient ensemble un grand coup de pied à un « père » habillé de sa soutane noire – était tout à fait drôle. Et si Ptit-mé n'avait pas compris ce que Grand-père avait voulu dire par « vider les curés », par contre « coups de pied au cul », il appréciait. D'ailleurs le mot « cul » à lui seul, au milieu de la leçon, aurait presque suffi pour le mettre en joie.

Aimé éclata donc de rire. Et grand-père aussi. Mais le ton changea lorsqu'il fallut relire :

« Alors ce bâton et ce point dessus, qu'est-ce que c'est ?

Avec ou sans point, pour Aimé, Bâton demeurait bâton. Rond le rond restait rond. Ou si Grand-père insistait trop, une roue de voiture, une pièce de cinq francs, la lune quand elle a fait le plein d'elle-même.

Aimé ne comprenait rien à des gribouillages alignés au cordeau, comme les plants de pistache de terre de Gramoune[1] Saintange, ce dont tout le monde le goguenardait. Il restait bouche bée, refusant d'avancer d'un pas.

« Ane il est, bourrique il restera, finit par éclater Grand-père.

---

1. Terme d'affection pour désigner une personne âgée.

6

– Bourrique, bourrique, bourrique ! Quelle bourrique ! toni-
truait Grand-père. Tiens, je ne veux plus perdre mon temps
avec toi ! il ajoutait vers Ptit-mé, qui, à peine honteux et coupable... à tout bien dire, heureux, laissait passer l'orage. Je ne
veux plus perdre mon temps avec toi !

Mais autant vite le cyclone vient autant vite il s'en va.
Grand-père se radoucissait aussi rapidement qu'il avait tourné
à l'aigre :

« Tu te rends compte, Ptit-mé, tu te rends compte de ce que
tu perds ! Écoute !

Et, emphatique, Gaétan se mettait à déclamer :

> *Perdu entre deux parois hautes*
> *Il est un lieu obscur au rêve hospitalier*
> *Qui, dès le premier jour...*
> *Qui, dès le premier jour...*

Il bafouillait, répétait, revenait en arrière :

> *Qui, dès le premier jour...*
> *Qui, dès le premier jour...*

Alors, dépité de perdre Leconte de Lisle – et la mémoire ! –
en si beau décor, il lançait en direction du parterre, de la cour
et du jardin, tous vides, sinon de Ptit-mé, un ronflant :

« Et merde !

Dès que Grand-mère rentrait – alors que Ptit-mé, se sentant libre, courait presque vers le garage pour, à travers les jointures de la porte, reluquer « Pour Cythère... », baver devant « Pour Cythère... », sombrer dans une énorme concupiscence par la faute à « Pour Cythère... » –, Gaétan se plaignait amèrement à « Marguerite » :

– Tout glisse sur lui comme l'eau sur feuille de songe. Il donne l'air de ne rien comprendre...

Grand-mère était trop sûre de l'intelligence de son petit pour faire un mauvais festin de la queue de morue que Grandpère lui lançait. Elle pensait qu'il suffisait de prendre cette patience qui guérit même la gale, que Ptit-mé trouverait, par lui-même, à quoi son intelligence pourrait s'adapter. Et puis, bah ! si ça n'était pas à la plume, ça serait au rabot, au tournevis – tiens ! – comme son père, et comme son attirance pour l'auto de Gaétan pouvait laisser entrevoir.

Chaque escargot doit trouver son herbe, chaque main son gant de cortégé : Gros-gaby, qui, d'après le vieux, pourrait bien être le frère de joug de Caoudin, sortait des musiques extraordinaires du violon qu'il avait lui-même fabriqué d'un bidon à huile et de quatre vieilles racines-tortue ; alors que le docteur, avec toute sa science et sa médecine, était incapable de tirer – serait-ce un vent – de la trompette qu'il s'était achetée à prix d'or.

Claude-gingembre (ainsi nommé à cause de la déformation de ses orteils), encore appelé Claude-les-puces[1] (par la cause de cette déformation, cause ancienne, sans doute, mais dont les effets ne disparaîtraient qu'avec la mort), avait dû tirer de l'école son dernier fils : au bout de trois ans de bons cahiers, de bons livres, de bons cartables, au bout de trois ans de petits goûters maternels avant, de petites gâteries après, trois ans

1. Puces chiques faisant leur « nid » dans la chair.

122

d'énervement de papa, de raclées, de mauvaises colères, ce mulet-panneau[1] ne connaissait encore ni le devant ni le derrière d'un livre. Or, ce prétendu et soi-disant kokol, extrait de bêtise et compagnie, conduit maintenant le camion de son père, à condition qu'on lui mette des chaussures à semelles épaisses, que ses pieds puissent, au moins, toucher les pédales.

Oui, à chacun son domaine, et puis certains en avaient plusieurs, et c'était tant mieux pour eux. A chaque main son gant, et, chance pour elles, certaines le découvraient vite. Pour d'autres, la vitesse prenait des détours. Il fallait, de toute façon, laisser au cabri le temps de distinguer l'herbe grasse du gratte-cul, et donner à Ptit-mé le moyen de trouver ses marques et carreaux. Il déciderait ensuite. Si, aux dentelles noires, seins et cul de luxe, le petit aimait mieux son pantalon de toile écrue, la chaleur de ses chiens ; si au lit douillet, il préférait la roche pointant son crâne chauve sous des épis de maïs dégoulinants de suie, elle n'y trouverait rien à redire...

Le calme de Grand-mère exaspérait Bénard :
– Tu lui soutiens le vice ! Tiens, il est borné comme un bœuf. Un bœuf qui n'a pas faim. A toi de le faire manger, si tu peux !

Le vieux peut chanter ses contes, te revient, Grand-mère – vogue la pensée –, cette histoire du temps de la guerre, celle de Félix et de sa vache qui un soir, par caprice, refusa de manger. Les combats de guerre étaient loin, sans doute, mais des queues interminables pour un simple bout de manioc. Pas de l'éclate-marmite encore, mais du fibreux, et plat, et triste ; du rendant peu à la bouche des gens et beaucoup au compost.

Et Félix, qui, pour soigner ses enfants – le lait, ses protéines et le triphosphate de calcium, dirait Grand-père –, élève une vache, là-bas en plein milieu de la ville. Nécessité, évidem-

---

1. Le panneau : le bât.

123

ment, s'impose de lui attacher une pierre à la queue, qu'elle ne dérange tout le monde en bramant par-dessus la tôle et le bardeau des toits ; et puis astreinte de lui ramasser la bouse dans une barrique qui se couvre – que l'odeur n'envahisse le voisinage – obligation d'aller lui sortir le fourrage à des demi-heures – plusieurs demi-heures de distance.

Un beau soir, se présente à lui – rentrant à pied de son travail – une opportunité d'herbe fraîche. A prendre ou à laisser. Félix prend. Se coltine sornet, herbe d'eau, bois noir et grande fataque. A même la tête, le cuir chevelu. Sans rien – ne serait-ce qu'un vieux patin de chapeau ! – entre la grattelle des herbes et la peau du crâne. Suant, soufflant, rendu, démangé des soies et de la bourre, il arrive enfin chez lui. D'un basculement de la tête et de l'épaule, il sert la marquise, à même le sol – comme d'habitude – n'ayant, pour elle, ni mangeoire d'or, ni auge de platine. Et la belle ne fait-elle pas sa mijaurée ! sa délicate ! sa difficile ! Bref, la fi-de-garce refuse de manger ! Félix – sainte Patience, priez pour moi ! – s'accroupit, lui tend la feuille la plus fraîche, le cœur le plus tendre, lui flatte l'oreille de petits noms gâtés, lui caresse le mufle. Rien à faire ! La colère te prend alors le Félix : il t'assène un de ces coups de poing à la capricieuse !

Félix n'était ni le vieux Marcel, le père de Grand-gaby, qui portait deux balles de riz superposées sur la tête, ni Aïk qu'on appelait doubles-côtes, car il levait la barrique pleine dans les bras. Il était plutôt comme Chinois-vert qui, en son temps calme, vendait tranquillement ses pistaches à la pinte – un travail de flemme, même pas de viande blanche –, et qui, par contre, à la colère, n'était pas tenable de cinq ou six bras-forts.

Et la vache avait mis, ce soir-là, Félix dans une fureur terrible. Son poing frappa la bête à son bassin avec une telle violence qu'elle s'affaissa pour ne plus pouvoir se relever. Il fallut d'abord la sacrifier, puis vendre os et chair au marché noir pour trouver le moyen d'en racheter une autre.

Voilà ce à quoi Grand-mère pensait, à propos de bœuf qui ne veut pas manger. Et elle rit, se souvenant de Félix qui était monté jusqu'à elle, sa demi-tante et amie, pour lui proposer d'acheter (« ne serait-il, Matante Margrite ») les bobines-vertèbres de la queue pour l'en débarrasser. Elle rit, Marguerite. Elle rit ! Grand-père se fâche en mâle rouge d'agame qu'on enquiquine :

– Elle en ricane ! Si vous croyez que je vais continuer à me faire du mauvais sang pour vous... Tiens ! je préfère aller boire un coup à la boutique.

Il se saisit de sa canne et s'en fiche le camp en braise de feu.

Grand-père fut toute la journée d'humeur exécrable, et Ptit-mé préféra mettre une bonne distance entre eux deux. Celle, par exemple, qui sépare l'ombrage du manguier, où le vieux rumine, et les jointures du flanc caché du garage, où lui passe de longs moments à contempler « Pour Cythère... » dans sa moulure [1] noire.

Grand-père maugréait, pestait, mâchait à vide. Contre le boulanger qui avait laissé un fil gouni [2] dans le pain de son petit-goûter. Contre Mane-ti qui aurait dû depuis longtemps changer de boulanger. Contre le facteur qui ne lui avait pas amené de journal. Contre le journal qui se permettait de sauter de plus en plus de numéros et sans rembourser une roupie.

Grand-père se permit aussi, de son manguier, d'apostropher madame veuve Mangues-vertes :

– Il y a le feu ! il lui cria. Il y a le feu et les pompiers s'en foutent !

Celle-ci, qui ne comprenait la moindre zikette à ces propos, insulta malgré tout Grand-père, ce qui ne procura même pas de plaisir à ce dernier.

1. Élégance.
2. De jute.

S'il était à prendre – avec des pincettes, à la limite –, jamais, il ne se serait permis cela. A peine, par-dessus ses lunettes, aurait-il reconnu la jeune veuve, qu'il aurait pris son bâton, l'aurait suivie dans le sillage. Et, au lieu de gueuler ses cochonneries, il se serait contenté de grommeler :

– Elle est en cherche, ma parole. Elle est en cherche !

Et même s'il se serait fait baver, baver, jusqu'à la boutique et peut-être même au retour, il n'aurait que grondé, à la rigueur à voix trop haute de dur d'oreille :

« Ce cul, ce cul ! La chaleur qui se dégage de ce gros cul... Y fait griller son manioc, bon Dieu !

Le lendemain matin, plus du tout revêche – mais il était de caractère à grains –, dès que Grand-mère fut partie, il appela Aimé. Au lieu de lui imposer une leçon que celui-ci appréhendait ferme, Gaétan, la bouche en miel, l'envoya à un gros régime de bananes mûrissant, qu'il aurait découvert la veille au soir :

– Il est énorme, je te dis ! Avance encore, avance !... Plus à droite... Dans la grosse touffe là-bas... tout au fond, derrière le carambolier...

Ptit-mé arrivait au voisinage dudit carambolier, quand il vit, énorme sans doute – de la grandeur d'un grand van à vanner le maïs –, mais non régime : guêpier ! Et pendu, de surcroît, aux basses branches, à hauteur de tête ! Il le vit au moment même où ce van éclatait en un tourbillon jaune sifflant de haine. Ptit-mé se sauva au plus vite. Mais les marges du cyclone déjà se détachaient. Déjà les estafettes se précipitaient à sa poursuite, aiguillon dégainé. Une, deux, trois, quatre piqûres en plein milieu de cuir chevelu – comme si ces minables bébêtes jaunes connaissaient l'endroit où ça fait le plus mal ; cinq, six, dans le cou ; une dernière attardée dans le dos...

126

Le vieux riait tout ce qu'il pouvait. Et entre deux éclats :

« Grand-gaby m'avait bien dit qu'il était énorme.

Puis, après s'être un peu calmé, au petit qui, pas pleurant, pas gémissant – certes il avait bien poussé des cris aux coups de dard –, essayait de se mettre lui-même du vinaigre à tous ses brûlements :

« Donne.

Et Ptit-mé donne. Grand-père frotte, malhabile, les enflures qui se développent, les incendies qui se propagent :

« Tu m'en veux ?

Non, Ptit-mé ne lui en veut pas. Le coup est si ordinaire – tous les gamins l'ont un jour ou l'autre tenté, ou subi – qu'il en est devenu légitime. Et même Grand-mère, si elle n'en aurait pas été fière, n'aurait pas fait le scandale pour autant.

Et tout d'un coup, brusquement, Grand-père sort de la poche de sa vieille veste une grosse clé :

« Tiens !

Après tout, il l'aime bien, ce gosse ! Qui est si gentil ! Et peut-être pas si bête que cela, après tout !

Alors, puisqu'au bout du compte Grand-père a tiré la petite vengeance qui s'imposait, puisque c'est lui qui a mis le point final à l'épisode, pourquoi ne pas tourner la page ? Ouvrir un chapitre nouveau ? Grand-père souhaite un chapitre nouveau. Aussi amical que ceux d'avant. C'est pourquoi il prend la clé de son garage, la tend à Ptit-mé et lui dit :

« Tiens !

Le grincement que lâche l'immense battant de porte fait fuir un lézard qui se réfugie derrière un gros arc-boutant de bois de fer. Une femelle babouc [1], énorme cocon – cachet de Kalmine – bourré d'œufs sous le ventre, se dirige (d'un port de femme gênée d'une pleine ceinture à jumeaux) vers sa maison de mor-

---

1. Araignée.

taise vide, erreur de charpentier. A une poutre du toit, un bibe [1] se balance du branlement de chef de trop vieux vieillard. Les titoulous [2], aux grains de sable que la savate de Ptit-mé fait ébouler au fond de leur faux entonnoir, croyant la fourmi livrée, s'en lèchent les mandibules.

Et, malgré la poussière et les chiures des termites, la magnifique noirceur de « Pour Cythère... » !

– Regarde-moi ça ! dit Grand-père. Regarde-moi ça !

Et il frotte doucement le doigt sur le chrome de la poignée, qui libère toute sa brillance.

« ... Attention : si tu fais ça à la peinture elle est fichue.

Après quelques minutes de religieux silence :

« ... Il faudra d'abord que tu me la laves.

Puis :

« ... C'est pas sûr qu'elle redémarre, tu sais.

1. Faucheuse.
2. Fourmis-lions.

Margrite les trouvait beaux, tous les trois, sans exception : Aimé, Grand-père, Gaby...

Aimé d'abord, qui, malgré la crainte de Grand-mère de lui voir attraper le refroidissement, avait plaqué à l'eau ses cheveux – question de les croire bien lisses. Aimé dans sa chair requinquée, ses articulations libres, son costume neuf – le moment était venu et l'occasion bien bonne pour que Grand-mère lui fasse couper sa première fierté de culotte longue...

Puis Gaétan, dont elle, Marguerite, avait ressorti et lavé le costume de basin blanc, redonné au pantalon un peu d'aisance en lâchant les pinces du dos et déplaçant le bouton de ceinture. Ça, il avait encore de l'allure, tête nue, et la couronne – non plus de filasses folles collées à la sueur – mais taillée de près, presque rasée, par Saintange de surcroît, maçon méticuleux qui plantait le dimanche ses pistaches au cordeau.

Et Grand-gaby aussi, malgré ses vêtements de travail ; car – un peu dernière roue de « Pour Cythère... », ne venant que pour le coup de manivelle –, il n'avait été prévenu qu'au dernier moment, à l'éclaircissage (qui l'agaçait) des carottes, et n'avait eu le temps que de se laver les mains, de se passer les jambes à l'eau de canal, de dépendre sa veste de manguier. Mais il était beau de sa stature et de son sourire à peine béat.

Ils étaient tous les trois debout, spontanément alignés comme pour la photo, devant la calandre étincelante de « Pour

Cythère... ». Elle était, elle, magnifique, la « Pour Cythère... ». Briquée, oui, elle l'avait été, pas plus loin qu'hier au soir. Et frottée sa tôle noire – au vieux bout de serviette moussant le savon de Marseille. Et brossés ses enjoliveurs – à l'éponge de pipangaille [1], à la rafle de maïs. Et, pour le rinçage, Ptit-mé, seau à seau, lui avait vidé dessus le grand bassin quasiment.

Grand-mère, quoique heureuse de voir son petit capable de tant se démener, et cette bonne sueur – non de fièvre, mais de travail – lui dégouliner de partout, avait été inquiète de voir eau froide et transpiration s'affronter sur ce corps à peine échappé de la maladie. Aussi, très vite, fit-elle chauffer une grande marmite d'eau ; prétexta-t-elle la survie des poissons – bientôt ventre à l'air ! –, qu'il s'arrête, se baigne, se sèche ; qu'elle le frictionne à l'alcool ; et que Gaétan, elle et lui se mettent à table, car la brune était rentrée depuis longtemps.

« Pour Cythère... » était donc belle. Comme avant que Grand-père (question, non pas de faire une fin, mais sûrement d'économiser la bonne, probablement de s'assurer une présence au moment d'y passer) demande Marguerite Bellon en mariage.

A cette époque, trois fois, quatre fois par semaine, elle le voyait passer dans son basin cangé [2] droit, au volant de sa voiture brillante comme un soulier verni.

– Il a encore fallu que j'aille chez mon notaire, il disait après à qui voulait l'entendre – à Marguerite, par exemple, quand, au retour, badine en main, il venait prendre son litre de lait, blaguer gentiment et sans malhonnêteté quelques instants avec elle...

Et il ajoutait, préoccupé, soucieux, hypocrite :

« ...des problèmes délicats à régler.

1. Plante.
2. Amidonné.

« Ils doivent réclamer une bien grande délicatesse, ses problèmes, pensait Margrite amusée, s'il lui faut, pour les résoudre, le basin blanc, la cravate et le parfum. »

Et puis un beau jour, plus de cravate, plus de basin, plus de badine, plus de « Pour Cythère... ».

« Et plus de problèmes délicats, pensa Grite. Sûr que sa bourrique n'a plus ni faim ni soif, ce qui résout tous ses problèmes. »

Par le fait, ils ne faisaient que commencer, aux yeux du vieillissant. Plus exactement, des problèmes nouveaux – de bourrique justement – avaient chassé les anciens. Pour essayer de le faire à nouveau braire en triomphe, son aliboron qui s'était tu, en quelques semaines, sans raison apparente, Gaétan essaya tout. Du moins tout ce qu'un mâle – naguère mâle – pouvait tenter. A l'exclusion des femmes, ni une particulière ni la diversité, se refusant de se présenter devant elles en « état d'infériorité ». Il tenta, bien évidemment, les caresses – les siennes – verbales ou manuelles. Puis l'admonestation, les bains, l'insulte, les médicaments. Très vite les médicaments...

Le vieux Dr Déramond, médecin « de famille » – mais Gaétan était à lui seul sa famille –, ayant refusé de lui prescrire des cachets de « phosphure de zinc », il largua brutalement et sans regrets « cette vieille baderne ». Le zinc s'étant révélé inefficace, il changea de phosphure. Macache ! Il voulut alors de la testostérone, mais aucune pharmacie n'en avait. Alors, il accepta l'idée d'essayer les herbes, à condition – malgré son pingre – qu'elles soient de pharmacie, bref, d'Europe.

Il expérimenta d'abord la « jusquiame noire », maîtresse en vasodilatation artérielle. Puis la sauge, puis la menthe poivrée, puis la belladone et la stramoine. Il faisait infuser ses gâte-corps, leur adjoignait un très-peu d'alcool qui devait en exalter les propriétés, et – en lieu et place de café – les buvait à petites lampées, à demi allongé dans son transat. Puis il posait le bol, fermait les yeux, et sa main glissait entre les bretelles sous le renfort de son pantalon, s'insinuait dans la fente du caleçon. Là, elle caressait l'enfant si malade qu'il ne pouvait plus – malgré le traitement – se réveiller.

Quand il fallut passer au céleri et à l'asperge, il refusa net, préféra – tout en s'en voulant de sombrer dans la superstition – les produits pays : le gingembre, la tantarik[1], le trépang[2]. Puis, très vite, il délaissa « Pour Cythère... », se mit à mâcher des mots au passage des jolies femmes, et demanda constamment Marguerite en mariage qui, à la longue, finit par dire « oui », probablement usée par son opiniâtreté.

Grand-père Bénard enclencha la première. « Pour Cythère... » ne craqua pas, ne broncha pas. Il leva délicatement le pied de l'embrayage, la traction s'ébranla lentement. Il enfonça de nouveau la pédale. Sans à-coups, calmement, la voiture – Gaétan disait « conduite intérieure » : « ma conduite intérieure » – s'avança encore de quelques dizaines de centimètres, puis s'immobilisa sur le pavé de l'allée. Grand-père essaya aussi les freins qui répondirent à merveille. Il fit répéter à Aimé que celui-ci avait bien vérifié le niveau d'acide dans la batterie, l'eau dans le radiateur, nettoyé les bougies et les vis platinées, qu'il avait contrôlé (ce qui se fait au coup de talon) la pression des pneus. Marguerite avait payé un plein jerrican d'essence. Le Gaby était assis à l'arrière, manivelle en main, au cas où « allumage il y aurait ». Tout allait donc pour le mieux : Grand-père embraya pour de bon.

Ptit-mé fit des salams joyeux à Grand-mère, qui, prétextant le bain nécessaire à ses jambes, avait refusé de venir – qu'ils puissent, tous les trois, faire leur vadrouille entre hommes.

1. La cantharide.
2. Chenille de mer séchée.

Même s'il y avait avant tout de l'amusement dans ce que pensait Grand-mère, elle ne croyait pas si bien se dire. Comme un attelage qui connaît le chemin, « Pour Cythère... » reprenait, seule, les routes qui lui avaient valu son nom : ici Marie-Pierre avait accepté de monter à côté de Gaétan ; là, il avait renversé Laure sur les coussins de cuir ; à cet autre carrefour habitait Joséphat, l'experte, la rouée...

C'est à l'évocation de Joséphat, justement, que l'hongre redevint étalon. Gaétan le sentit peu à peu relever la tête, et sortir lentement de sa stalle en cretonne... Incrédulité. Étonnement joyeux. Jubilation !

Et puis ce cœur qui se met à jouer du jazz, à taper, taper... Grand-père en devint si rouge, si congestionné, que cela réussit à casser la joie de Ptit-mé.

– C'est rien, mon enfant, c'est rien, souffla Grand-père.

Mais dans ce rien, le cognement à tout casser de sa vieille pompe à sang l'obligea à se garer, à mettre la main sur sa poitrine comme pour l'empêcher d'éclater...

Puis le calme revint de lui-même. Mais Grand-père préféra, à petite vitesse, retourner à la maison.

Gaétan, qui, toute sa vie, s'était inventé des dangers à se donner des peurs effroyables, là, devant la menace réelle – mais n'était-ce pas le prix pour redevenir cette Virilité qu'il avait été pendant plus de cinquante ans ? – n'avait plus qu'une crainte modérée, ce dont, en soi-même, il n'était pas peu fier. Aussi se contenta-t-il de se faire acheter en ville – que ne ferait Mane-ti pour son vieux complice en politique ? – une boîte de Dragénan que, pour une fois, Gaétan ne consomma pas préventivement, mais fourra dans la poche de la veste en basin blanc destinée aux sorties.

Car il y en eut d'autres. Beaucoup d'autres. C'est Gaétan qui payait l'essence maintenant, qui pensait à la monnaie pour l'éventuel coup de manivelle d'un passant – étant hors de question de toujours emmener Gaby.

Ces échappées tenaient à la fois de la vraie virée, de la balade, du rite, du pèlerinage. Dès la montée du premier car de l'après-midi, Gaétan bouillait, mais il était hors de question de partir avant « quatre et demie » : de son temps, les belles, pour leur promenade quotidienne, sortaient juste après le soleil de cinq heures. Non qu'il ait envie d'en « lever » une quelconque. Éprouver le gonflement de son sexe lui suffisait presque. Pouvoir aussi lui parler – entre ses dents -- à ce sexe, d'abord gentiment, en début d'érection, l'encourager, le flatter, le caresser de la voix –, les nécessités du volant, et la présence du petit empêchant tout glissement réel vers le bâillement du pantalon entre les bretelles. Puis, à rigidité grandissante l'appeler « ruade », lui donner des noms d'oiseaux, de reptiles, d'outils : « mon mandrin », « ma chignole », « mon manche ». A turgescence pleine, lui faire les reproches nécessaires : « Tu m'en as fait voir, toi ! Tu m'en as fait souffrir ! Et baver ! » Enfin à dureté ligneuse, en bois (comme on dit en créole), l'insulter, le traiter de « chien méchant », de « Thiers », de « Guy Mollet », lui donner le nom d'autres impérialistes, ceux de « Gallieni », de « Bugeaud », car Gaétan bandait anticolonial :
– Mon salaud, je vais t'en donner, moi, de la Mission civilisatrice ! il pensait et quelquefois grommelait au grand étonnement de Ptit-mé. Je vais t'en donner, moi, de la Grandeur de l'Empire français.

Rien d'étonnant alors à ce que ce soit cette femme du pays d'Androy, Ruth-Bethsabée, qui revînt s'attitrer la première.
Bien sûr, elle ne s'appelait ni Ruth ni Bethsabée. Mais, allait-il Gaétan, malgré toute l'amitié qu'il portait au peuple

des épines, vriller sa langue pour prononcer de l'antandroy ! Et bien qu'il se dise le contraire, cette femme n'avait de toute façon jamais existé avant lui, elle disparaîtrait à son départ, alors quoi de plus naturel qu'il la nommât, puisqu'il lui donnait la vie – et la reprendrait le moment venu !

Ces noms tirés de la Bible, Ruth et Bethsabée, n'avaient pas été sans lui poser quelques problèmes, car il y avait eu Esther. Esther, la seule, l'unique, qui était chrétienne et pour laquelle il s'était commis à la religion. Oui, mais dix ans étaient passés ! Choisir biblique pour la première femme qu'il acceptait de connaître après elle, c'était tourner la page, regagner son indépendance et sa liberté. Et puis la fidélité, qu'est-ce ! Et qu'aurait pensé Engels de lui !

Il avait donc fait le pas et choisi sacré. Ruth, d'abord, parce qu'à quarante-sept ans, s'imaginant vieux mais s'exaltant de faire l'amour à nouveau après toutes ces années de continence, il se voyait déjà Booz – « faucille d'or dans le champ des étoiles » – moissonnant les gerbes de jeunes filles en fleur et de femmes en épis ! Aussi parce qu'elle aimait « ça », qu'elle était en cherche permanente, en rut, mot dont il pensait qu'il devait s'écrire avec un h.

Et Bethsabée, parce qu'il l'avait d'abord vue – comme le roi David mais lui de la varangue de sa case et non d'un palais –, cette femme, se baignant, plutôt se lavant le visage à l'eau de pluie laissée dans une coque de tortue ; qu'il s'était irrésistiblement senti attiré vers elle – comme David ; qu'il l'avait ensuite – encore comme David – enlevée et emmenée chez lui. Tout, tout, comme David – ou presque – dont Grand-père, cet athée rassis, connaissait par cœur les psaumes, de même qu'il connaissait par cœur II Samuel XI qui racontait l'histoire de ladite Bethsabée :

« *Un soir, David se leva de sa couche, et, comme il se promenait sur le toit de sa maison royale, il aperçut de là une femme qui se baignait, et qui était très belle de visage.*

135

« David fit demander qui était cette femme, et on lui dit : N'est-ce pas Bethsabée, fille d'Éliam, femme d'Urie, le Héthien ?... »

Oui, qu'elle était belle de visage !... Et de partout ! Heureusement pour lui, Gaétan, qu'Urie le Héthien avait cassé sa sagaie depuis longtemps, et sa cuiller à manger le riz, et sa petite pipe de terre cuite à fumer le tabac vert. Heureusement que les zébus lui avaient permis, en y mettant le nombre – quatre, et il s'en souvenait bien : même si elle changeait sa natte en couche royale, elle avait cher coûté la *ramatoa*[1] – d'acheter le chef du clan.

« Bethsabée ! Elle détestait que je l'appelle Bethsabée.

« – Je ne suis pas la rrrack ! elle disait, s'imaginant qu'elle ne devait son nom qu'à ce petit rhum marron – *bet'sabets'* en malgache – que je bouillais au nez et à la barbe de l'administrateur et des gendarmes, que je servais à mes quelques vrais amis.

« – Je ne suis pas l'arrrack !

« Pas l'arack ! Et pourtant je me soûlais d'elle. Elle était belle, ardente, entreprenante. Pas besoin d'être malin pour comprendre pourquoi elle était venue se laver dans le champ de *rakaita* le plus proche de ma case, et dans l'axe de mon fauteuil – alors que des carapaces de tortue, il y en avait, dans le bush !

« En me levant, je renverse mon vermouth – seul, je bois du vermouth. Tant pis, je n'en ai pas besoin pour être fou de désir. Laissant mon maki lécher le plateau, je me dirige vers elle, les mains moites, la bouche sèche, les tempes battantes, le cœur battant. Au bruit de mes pas dans le sable rouge, elle se redresse, se tourne carrément vers moi, les lèvres entrouvertes,

1. Se prononce « ramatou » : femme en malgache.

136

les narines palpitantes. Alors – comme j'ai quelques secondes d'hésitation : Esther, pardonne-moi, Esther ! – c'est elle qui fait les derniers pas, se colle à moi, m'embrasse, et très vite, prend ma main et la guide, à travers le lamba, jusqu'à sa figue de Barbarie... »

8

Gaétan avait changé du tout au tout : il était devenu gai, sociable, plaisantait gentiment. Il n'apostrophait plus Mme Mangues-vertes à son passage. Au contraire, badine en main – qui avait chassé la canne usurpatrice –, il avançait jusqu'au ponceau, soulevait même son frivole tout neuf, demandait à la jeune femme de ses nouvelles, question d'amorcer une conversation. Mais elle, s'imaginant que c'était là quelque ironie, moquerie déguisée, l'insultait comme avant, puis lui tournait le dos et continuait, triomphante, son chemin. Lui la suivait des yeux jusqu'au bout de sa Perspective.

Et s'il lâchait toujours : « La braise, bon Dieu, elle est en braise ! », le ton avait changé : ce n'était plus celui de l'aigreur de l'infirme, mais de la fierté du vrai mâle devant la femelle possible.

Plutôt que de se colleter verbalement à Vivano-la-flamme, ce qui lui était arrivé fréquemment depuis qu'il s'était aperçu qu'il n'en avait rien à craindre, il tentait de le « moraliser » :

– Bois moins, bon Dieu ! Bois moins ! Tu verras que cela te rapportera.

Mais celui-là aussi l'injuriait, auquel – désolé presque – Gaétan ne répondait pas.

Les devinettes qu'il posait à Ptit-mé avaient perdu toute acrimonie :

– J'ai un calcul à te demander, mon petit. Non, ne t'affole pas ! C'est un jeu, rien qu'un jeu : Vingt cent mille ânes dans un pré et cent vingt dans un autre. Combien cela fait-il d'ânes en tout ?

– Vingt cent mille vingt, Grand-père ? Vingt cent mille cent vingt ?

Et Gaétan riait. Il riait d'entendre sortir les chiffres les plus invraisemblables :

– Il n'y en a qu'un, monsieur Petit-mé ! Il n'y en a qu'un ! Vincent mit l'âne dans un pré, et s'en vint... Tu comprends maintenant ?

Il allait même, assez souvent, sous couvert de cultiver Ptit-mé, jusqu'à se mettre à chanter des romances du temps longtemps :

– Elles avaient un sens au moins. Elles avaient un sens. Écoute :

> J'ai tant pleuré pour toi
> Tant versé de larmes brûlantes...

Il avait dû avoir une jolie voix, Gaétan. Elle restait d'ailleurs tout à fait acceptable, non cassée, point chevrotante, même dans les trémolos.

Gaétan chantait un peu de tout, non seulement de la romance, mais aussi du pompier, du martial :

> As-tu vu la casquette, la casquette ?
> As-tu vu la casquette du père Bugeaud ?

Bien entendu, le nom de Bugeaud amenait l'exposé historique, puis politique. De Bugeaud Gaétan passait à Gallieni. Et de Gallieni, il passait au silence, en accédant au rêve, car Gallieni c'était, avant tout, le pays des Épines.

Ce jour-là, quoique la matinée soit à peine entamée, il fait une chaleur d'enfer, une sécheresse de Kalahari. De la petite table ronde, ton maki saute sur le plancher qui craque de la varangue. Il court vers les *rakaita*, à la rencontre de Bethsabée qui arrive portant sa coque de tortue pleine d'eau. Elle ne se lave plus parmi les épines maintenant, mais dans ta chambre. D'un boudin qu'elle fait de ton pyjama, elle cale, sur une chaise, sa cuvette improvisée. Ton pyjama ! Tu protestes, évidemment :

– C'est rrrien ! Tout sèche si vite.

Et si elle te dit toujours : « Tourrrne-toi », elle s'arrange aussi, à chaque fois, pour se mettre dans l'axe de la fenêtre. Tu n'as même pas à tendre le cou pour la voir retrousser son lamba jusqu'aux aisselles.

Trente ans révolus, rien que d'y penser, ton cheval se lève à nouveau : tu le perçois sortant la tête de son écurie de toile. Il piaffe d'impatience, il se cabre... L'idée ne te vient même pas de le libérer dans quelque savane. Tu goûtes simplement le plaisir d'être encore un homme, la satisfaction de le voir se dresser, surgir – provocant, vainqueur, heureux. Tu écoutes la pompe de ton cœur battre, battre, faire monter ton sang en pression. Tu écoutes ton sang, monter, monter, monter...

Trop Gaétan, trop. Prends vite de ta poche la boîte ; et de la boîte le cachet. Fais chuter ce sang, cette angoisse qui ne manquera pas de venir. Fais coucher ton cheval, puisqu'il le faut. Ta vanité n'en souffrira pas, au contraire :

« Tu te rends compte, penseras-tu, te voilà obligé de prendre des médicaments pour l'obliger à baisser la tête ! A soixante-quatorze ans ! Tu te rends compte ! »

Mais pourquoi, Gaétan, ne consommes-tu pas ? Pourquoi ne vas-tu pas jusqu'à l'aboutissement de joie ? Pourquoi ne tentes-tu rien, n'en rêves-tu même pas ?

Seule entorse à ta conduite : la petite coiffeuse. La femme

du coiffeur, plus exactement. Naïse, elle s'appelle, qui prend le rasoir de son mari quand celui-ci est soûl, c'est-à-dire du matin jusqu'au soir. Deux fois tu es allé t'asseoir à son fauteuil – deux graves manquements à la fidélité que tu dois à Saintange, ton barbier de si longue date, et qui t'en veux, tu sais ?

Mais ils avaient raison au comptoir de la buvette : elle a, en toute honnêteté, de ces façons de te masser le cuir du crâne, qu'il soit ou non chevelu ! Tu en bandais dans ton fauteuil, que c'était pas croyable ! Mais tu ne peux, tête déjà rase, encore aller te faire couper les tifs, pas vrai ? Mais, que c'est lent à repousser, ces saloperies !

De revivre aussi pleinement qu'il souhaite sa masculinité pousse Gaétan à transmettre à Ptit-mé une part de son « expérience ». Comme il est si jeune, Ptit-mé, Gaétan fait des allusions, raconte des bribes, donne des conseils « généraux » :

– Certains disent qu'elles aiment la brutalilté. Moi je te dis : non ! Il faut être gentil avec elles. Très gentil.

Il n'y avait pas d'heure pour cette passation de savoir : une nuit que les deux hommes, chacun dans sa chambre, étaient déjà couchés, que Grand-mère, dans la salle à manger, se baignait longuement les jambes à ses herbages bouillis, Grand-père, à travers les cloisons, à voix forte de dur d'oreille – toutes les turgescences du monde ne pouvant rien contre la presbyacousie [1] –, demanda l'attention de Ptit-mé :

– Aimé, tu dors ?

Et comme le petit ne retournait mot :

« Tu dors, dis ?

Ptit-mé fut bien obligé de répondre :

– Pas encore, Grand-père.

– Qu'est-ce que tu penses, toi, de cette histoire d'Adam et Ève ?

---

1. De, paraît-il, *presbus :* vieux, et *akouain*, entendre.

– ?

– Un homme et une femme nus ensemble, et les curés n'ont rien à redire ! Ils en parlent librement ! Ne crois-tu pas qu'il y a là quelque chose d'illogique ?

– ???

– Tu ne vois vraiment pas pourquoi la curaille se tairait, si tout cela était vrai ?... Mais Adam aurait fait d'elle sa maîtresse, foutor misère d'un sort !

Grand-mère, qui, malgré elle, avait tout entendu, Grand-mère trouva qu'il y allait un peu fort, le vieux. Elle pensa qu'il fallait qu'elle écarte, au moins la nuit, son petit de ces cochoncetés. Elle trouverait n'importe quel prétexte... Tiens : cette branche de cytise qui frotte sur la saille du toit de la petite chambre et qui fait ce boucan d'enfer par soir de vent, ou encore la proximité malsaine – à de jeunes poumons – du tas de fumier, ou encore... et puis s'il insistait trop, Margrite n'irait plus par quatre chemins pour lui dire sa vérité...

La nuit fit le triage, et le lendemain, de voir les deux si bien ensemble, de voir les attentions du vieux pour son petit, elle n'eut pas le courage de dire quoi que ce soit. Elle n'en éprouva plus, d'ailleurs, la nécessité. Car, Margrite – en affection, compréhension – pouvais-tu espérer mieux pour ton petit que ce que Gaétan lui donnait !

Il allait même, Gaétan, bientôt laisser Aimé – qui n'en toucha plus le sol – manœuvrer sa « Pour Cythère... » dans la cour. Gaétan le fit d'abord avec quelque anxiété : il se mettait à côté du gosse, la bouche conseillant, la main à deux doigts du guidon, attentif à l'éventuel grincement de la « boîte », au probable étouffement du moteur. Mais rien : Joseph avait tant et tant de fois confié à son fils le déplacement des voitures sur l'aire du garage, que ces craintes étaient plus que vaines.

Très vite, Grand-père laissa donc Ptit-mé faire seul, après le déjeuner, ses quelques instants de caloubadia[1] sur l'arga-

_____

1. Marché noir pendant les restrictions de la Seconde Guerre mondiale.

masse[1]. Pendant que lui se dirigeait vers son transat de toile verte.

Là, le digestif – Gaétan s'était acheté une bouteille de crème de vanille dont il buvait un petit verre, coude sec, avant de quitter la table –, le ronflement de la voiture et son rêvement libidineux conjugués lui refaisaient « l'état », lui rendaient « l'homme c'est l'Homme ». Et même s'il ne devenait pas toujours en bois, la certitude de l'être tout à l'heure, quand il « irait aux femmes » – c'est ainsi qu'il appelait souvent dans son for intérieur la sortie du soir –, était si forte qu'il s'assoupissait, serein, pour un quart d'heure ou deux.

Quand il se réveillait, Aimé dormait dans son petit fauteuil. Car le petit quittait très vite – quoique à regrets – « Pour Cythère... ». Sur ordre exprès de Margrite ! Il n'aurait pu – en effet – être pensable d'user des litres et des litres d'essence sur le dos de Grand-père. (« Tiens, pensait Grite, les rôles sont inversés : la pingrerie est de mon fait maintenant. ») Il n'était pas question non plus qu'elle l'autorise, en plein milieu de l'ardeur de février, à s'agiter comme un fou, – pour qu'il fasse fondre le peu de muscle et le très-peu de graisse qu'il avait eu tant de mal à fabriquer ! Qu'il joue, à perdre haleine s'il veut ! Mais quand le soleil fait l'ombre longue comme l'arbre, mieux : quand il est suffisamment bas pour venir lécher la pierre à Calixte dans la cuisine, pas quand il te frappe à pic sur le toit de la tête, qu'il t'enfonce, à le faire éclater, sa fournaise dans le crâne...

Après sa sieste, Gaétan prenait un vieil almanach, une vieille revue, et il amusait son temps jusqu'à l'heure du « petit-goûter d'Aimé ». « Petit-goûter » auquel il participait plus que largement. Ensuite, lui et son jeune acolyte se préparaient pour leur virée quotidienne, leur « bordée vespérale » disait Gaétan devant Ptit-mé qui acquiesçait d'autant mieux qu'il ne comprenait pas.

1. Aire à sécher le café.

Ces sorties ne se faisaient jamais au hasard. Gaétan les choisissait, comme le sultan sa favorite d'un soir. Il y eut des virées Alicia, des virées Célia, des virées Guillemette, des virées Joséphat (les noms resurgissaient, et Grand-père en était heureux : « La mémoire aussi revient ! »). Il y eut plusieurs virées Louise et Marie-Pierre ensemble, qui mirent Grand-père dans une folle gaieté ; une virée Dositéa, une et pas plus car elle n'en avait guère mieux.

Sans rien dire à Ptit-mé, Grand-père retournait aux chemins où, accompagné de ses belles, il était passé. Il s'arrêtait, sans jamais éteindre le moteur, quelques instants aux baisers – il s'en rappelait quelquefois, ou bien les inventait –, stationnait de longs moments là où il croyait se souvenir qu'il « leur » avait fait l'amour. Il essayait aussi de retrouver leur maison, se décevait lorsqu'elle avait disparu, ou avait été rendue méconnaissable, encore plus si un vieux chignon blanc se laissait entrevoir dans l'enfilade des fenêtres. Alors il embrayait la première et braquait nerveusement.

La tournée se terminait immanquablement par le long et monotone boulevard du bord de mer, qui, pris à faible vitesse, permettait – complices de l'érection – la vibration qui va aux tripes, le vrombissement qui prend au bas-ventre.

Dès que clairons et trompettes commencent à résonner dans son caleçon, Gaétan Bénard, les deux mains au volant, regarde droit devant soi, comme pris par la route. Mais il est rouge comme letchi. Et le cœur bat à tout rompre. Cela ne l'empêchera pas de faire un kilomètre, deux kilomètres, trois, le temps de bien s'imprégner de sa virilité. Puis il rangera « Pour Cythère... » sur un bas-côté quelconque, sortira sa petite boîte à cachets de la poche de sa veste, en avalera un, quelquefois deux – un pour Dositéa, deux pour Louise et Marie-Pierre... Il attendra quelques instants que le médicament fasse son effet, avant – redevenu vieux – de repartir à allure réduite jusqu'à la maison.

144

Alors commence le processus de sortie de la voiture.

Malgré le crépuscule avancé, Gaétan a garé « Pour Cythère... » sous le manguier où il trouve que « l'atmosphère est plus saine ». Ensuite, pour ne pas se prendre un refroidissement – puisque « le fond de l'air est déjà frais » –, il demande à Aimé d'ouvrir une porte arrière de l'auto, ce qui a pour avantage de permettre un « abaissement progressif de la température, sans entraîner de turbulences trop fortes ». Aimé doit ensuite ouvrir la deuxième porte arrière, ce qui crée sans doute un courant d'air, mais dont le siège du chauffeur n'est que modérément affecté, « simple question de bon sens ». Gaétan s'extirpe alors de la conduite intérieure, court-circuitant l'ouverture de la porte avant droite, la porte de la belle.

La démarche lasse, Gaétan s'appuie sur l'épaule d'Aimé pour gagner la maison. Il s'affale quelques instants dans son transat que Grand-mère a rentré sous la varangue. Au bout d'un petit quart d'heure, il a retrouvé suffisamment de forces pour se laver le visage, passer un pyjama. Il revient alors quelques instants au transat.

Ce n'est qu'à l'heure du souper qu'il aura retrouvé son verbe haut, sa gaieté communicative, ses refrains didactiques, un appétit digne de ses quatorze ans.

9

Aimé dormait au départ de Gaétan, et, sûrement, dort encore. A son réveil, il ne s'étonnera pas du garage vide : le vieux ne lui a pas menti, pas caché cette virée – mais le mot convient si mal – d'aujourd'hui.

Gaétan a toujours laissé le petit, malgré son jeune âge, l'accompagner lors de ses frasques de chair, d'oubli, d'étourdissement – mais il s'agit bien de cela, ce matin ! Il lui a donc dit, hier au soir que, pour une fois, il ne pourrait pas venir. Aimé n'a pas protesté, pas posé de question.

Jusqu'à maintenant, Gaétan n'avait pas osé. Il avait même soigneusement évité cette ruelle étroite – devenu boulevard presque – où il la suivait au bout de son sillage, cet angle de rues où, aidé par l'obscurité de fin de nuit qu'accentuait l'alerte[1], il avait réussi, pour la première fois, à la serrer contre lui. Ce premier embrassement ! A perdre haleine ! Et l'œil réprobateur de la vieille toboze[2] pour la petite messe, qui les suivait à dix mètres !

Elle aurait réprouvé bien davantage, la duègne, si elle avait su le frémissement du corps de sa petite collée contre ce presque inconnu ; cette ardeur tendre à ses lèvres ; ce don total de son corps, de son « âme ». Dès ce premier baiser ! Et si elle avait compris que l'initiative du deuxième venait de sa proté-

1. Cyclonique.
2. Chaperon.

146

gée elle-même, si elle avait eu idée de la volupté que celle-ci y avait goûtée, elle serait morte d'une attaque !...

Depuis sa résurrection (sa résur-érection, il se disait il y a trois jours encore en riant dans sa barbe – lui, qui prétendait respecter Dieu, avait osé), Gaétan savait qu'il serait revenu sur ces lieux. Si, avant, il n'en était pas question (se présenter à elle, fût-ce au souvenir d'elle, impuissant, Gaétan n'aurait pu le supporter), après, cela devenait inéluctable. Depuis hier, il avait décidé qu'aujourd'hui, avant le petit matin, il prendrait sa vieille traction pour cette demi-heure qui le sépare de la ville ; que son tacot, il le garerait à cet endroit précis, non comme il le faisait pour elle – à l'époque, pauvre petit journaliste, il ne pouvait venir qu'à pied des ruelles du fond de la Rivière –, mais parce qu'il attendait son passage à deux pas de là.

Gaétan laisse sur la banquette arrière Grand-gaby dormant manivelle en main. Il sort de la voiture. L'air est à peine frais. Il gagne le banc sous le grand ficus qui, de ses branches fortes, enfonce maintenant la grille du jardin de l'État, et de ses racines torses, éclate et soulève le mur d'enceinte. Les petites billes de ses fruits tombés pendant la nuit (le balayeur ne commence qu'à sept heures et quart) craquent toujours sous les chaussures. Gaétan s'assoit comme il le faisait pour elle : jambes croisées, mains jointes tenant le genou haut – une position mûrement réfléchie, ni trop cavalière comme la fesse au bout du dossier, un pied au sol, l'autre à l'extrémité du banc, ni trop timorée comme la banale position assise, ni trop relâchée comme les deux bras ouverts tenant la planche du dossier.

Il s'assoit, ou plutôt pose son vieux cul. Il reprend haleine – il n'avait pas le souffle court à l'époque, et surtout pas pour elle, du moins au début de son aventure. Gaétan se tasse sur le vieux banc. Mais, redresse-toi, Gaétan, redresse-toi donc ! Elle arrive, foutor misère d'un sort ! Elle arrive, accompagnée de son (incontournable ?) chaperon !

Gaétan aurait pu se placer plus tôt sur leur route : elles arriveront, elle et sa duègne, par le même chemin que lui. Mais c'est ici qu'il doit les attendre : les ruelles sont encore si sombres, et s'il veut un jour pouvoir l'approcher, il ne doit en aucune façon lui faire peur. Il se met donc en pleine lumière sur cette place dégagée, où les gens déjà passent, qui, pour la plupart, se rendent comme elle à la messe.

Elles arrivent, elle et sa vieille nénenne[1], fille d'engagée de l'Inde – qui a trahi la religion ancestrale ! –, bonne à tout faire de ses parents, probablement sa seule amie. Gaétan ne bouge pas à leur passage. Elle ne bronche pas, se rapproche de la vieille qui voudrait bien lui prendre le bras, mais ne le fait pas : le respect dû à la jeune demoiselle.

N'as-tu pas honte, Gaétan, toi l'athée, militant de surcroît (tes derniers articles ont créé quelques remous dans les bénitiers tropicaux), de suivre cette grenouille qui se tape – non seulement le dimanche, mais tous les jours que Diable donne ! – d'interminables bains de bondieuseté ?

Non, tu n'as pas honte. Comment aurais-tu honte ? Au contraire : n'es-tu pas simplement fidèle à cette promesse que tu t'es faite, un jour que tu te rendais tôt à ton journal pour essayer de parer aux attaques de cette cabale cagoularde qui voulait te priver de ton gagne-pain, de baiser la première bonne sœur passant à ta portée, ou, tiens ! cette oiselle – pas si moche après tout ! pour tout dire appétissante ! – qui court avaler son Jésus en guise de petit déjeuner ?

Tu n'as pas honte non plus de franchir l'ouverture de l'antre de ces compères cagots ! Il te faut dire qu'il t'a bien aidé, la première fois, l'autre là, ton cabot[2] des rivières troubles, ton

---

1. Nounou.
2. A la fois poisson et sexe de l'homme.

cerf au brame, ton bambou d'insolence, d'ainsi dresser la tête dans le caleçon – ce que c'est que de courser la femelle ! – sur le parvis même de l'église. Entrer dans les Saints Lieux, l'air contrit et repentant, mais sexe quasiment brandi, tu ne pouvais rater ça !

La petite messe est toujours à cinq heures et demie. Rien n'a bougé depuis quarante ans bientôt. Le curé qui officie... Laisse le curé veux-tu : tu ne le vois pas davantage aujourd'hui qu'alors. La seule chose qui ait vraiment changé, c'est le nombre de participants. Il n'y a plus que deux ou trois vieilles petites blanches, quelques négresses éparses. Autrefois il fallait te contorsionner pour qu'elle puisse te voir. Hier encore, tu t'en serais réjoui. Aujourd'hui...

Choisiras-tu de t'asseoir à sa place ? Ou viendras-tu t'appuyer à ton pilier qui s'accoste toujours au banc de devant – ce qui te permettrait en te retournant un peu de lui montrer que, discrètement, tu la regardes ?

Tu choisis le pilier.

C'est après avoir patienté des mois, pris des mines, des poses d'amoureux transi, qu'un jour tu l'abordes. Que, plus exactement, tu te mets à sa hauteur. La duègne – l'amour chaste, elle est pour ! – ralentit l'allure, se laisse distancer de trente pas. Vous marchez côte à côte. Un peu intimidé, malgré tout, tu ne sais par quel bout prendre la conversation. C'est elle qui parlera la première :

– J'ai lu votre prose athée, monsieur.

Aïe ! les choses se compliquent. Mais elle est passée outre l'anathème, ce qui est bon signe.

« Vous qui dénoncez le préjugé, où sont vos arguments ? Je n'en ai pas trouvé un seul tout au long de vos dix-sept articles.

Malgré la sévérité du propos, la voix n'est pas rêche. Elle est pleine et douce. Pleine comme sa poitrine qui, aussi, doit être douce. Tu la désires ! Un taureau, tu es taureau en rut !

Sois calme, ô mon pénis ! et tiens-toi plus tranquille !

Comprends bien, Gaétan, que la plus grande maladresse serait de lui mentir. Ou plutôt tu peux lui mentir sur tout, sauf sur ça : ton matérialisme ! Elle ne croira jamais en ta conversion. Des arguments, tu en as, mais ne les expose pas, ne tente surtout pas de la convaincre. Te vois-tu, des jours et des jours, justifiant ton athéisme, pourfendant sa religion de ta dialectique ? Au bout d'un an tu n'auras pas progressé d'un pas ! Vas-y plutôt. Place les choses sur le bon terrain : celui des sentiments. Allez, hop : un grand pas !

– Mademoiselle, je vous aime.

Tout de suite les grands mots, Gaétan ! Ne crois-tu pas que tu vas un peu vite en besogne ? « Je vous aime ! » Pourquoi pas : « Tu couches ? »

Mais voilà qu'elle se trouble, la petite, qu'elle vacille. C'est la meilleure : elle folle amoureuse de toi ! La petite bigote qui se pâme d'amour pour Gaétan Bénard, l'Impie, le Mécréant, l'Antéchrist ! Tu lui présentes le bras qu'elle puisse s'y appuyer. Elle se reprend vite avant d'en avoir besoin. Elle te quitte :

– A lundi, monsieur, à lundi...

Elle t'aime ! Dieu de Bon Dieu, elle t'aime ! C'est du tout cuit...

Elle ne t'a pas tendu la main. Dommage ! Combien tu en aurais apprécié la moiteur ! Mais enfin cela confirme bien les sentiments qu'elle a pour toi : tendre la main est un choix. Il élimine aussi. Ne pouvant, bien entendu, t'embrasser, elle laisse le baiser en suspens.

Tu verras bien vite qu'elle sait tout de toi. Que tu rêves de départ. Que Madagascar te hante. Que tu es bouilleur de rhum marron. Elle dit s'imaginer que c'est d'abord pour faire la nique à la « Loi ». Aux polices de tous bonnets. Elle ne t'en veut pas, mais préférerait... Tu tiens bon (ici tu pourrais mentir, mais tu n'en as vraiment pas envie !). Le ton monte. Quelques secondes. C'est elle qui, rapidement, s'effondre. Elle en a les larmes aux yeux. Elle pleure pour de vrai. Toi, tu es maintenant obligé de faire semblant. Obligé ou pas : salaud que tu es ! Tu lui prends la main. Quelques secondes à peine. Elle te presse les doigts de toute sa petite force avant de se dégager.

Premier lundi du mois de mai 1937.

Hosanna ! Hosanna ! Dans une demi-heure, une heure au pire, tu auras gagné le pari que tu t'es fait : *fiak fiak !* La mauresque remontée, le pantalon remis... Dieu de lumière et des fornications !

Ils – les autres, la vieille garce et le vieux dadais (tu t'es renseigné sur ses calotins de parents) – sont partis assister le beaufrère moribond. Ça n'est pas si loin l'île Maurice, mais le bateau du retour n'est que dans quatre semaines.

Hosanna ! Elle ouvre le portail. Tu peux entrer, tu entres. La duègne en devient folle.

Hosanna !

Fanfares aux quatre coins de l'univers ! Debout les morts !

Elle ne fait pas de manières, la petite bonne sœur. Pas de chichi ; elle est juste un peu tremblante ; elle a juste un peu froid, un peu peur : c'est sa première fois. Toi, tu en as défloré d'autres – deux autres sûrement, une troisième à ce qu'elle dit... Et dans quelques instants en baisant celle-ci, tu auras baisé non seulement la bigoterie mais aussi la religion, les bonnes sœurs, les papes et sous-papes, l'inquisition, l'intolérance !

L'humanisme charnel aura vaincu ! J'aurai sauvé l'humanité à ma façon.

Le Jésus de la chair a pour nom Gaétan !

Alors te vient à l'esprit que, pour que cette victoire soit réelle, libération et non viol (non pas d'elle, elle n'a rien à voir là-dedans, la pauvre) , il faut – et c'est peut-être le plus important ! – que rien ne soit plus en cette petite grenouille comme avant. Que de fille de l'église, elle devienne fille des sens ! Aussi, calme-toi, ô mon sexe !... Laisse faire d'abord mes bras, mes mains, ma bouche.

Tu la caresses d'abord. Aux tempes, sous la bouclette qui retombe, au cou, aux épaules... Tu l'embrasses : petits baisers au front, aux joues, aux lèvres... Tu la serres fort contre toi, tu amènes sa tête dans le creux de ton cou. Tes mains descendent jusqu'à ses reins, une première fois à travers la toile. Tu recommences, à la chair, en faisant sauter, l'un après l'autre, les boutons-pression qui emprisonnent son dos... Elle est nue maintenant. Tu l'entraînes jusqu'au lit.

Noël ! Noël ! Voici le rédempteur !

Tu as gagné ton pari, Gaétan : après avoir versé deux petites larmes et ri dans cette brume, elle s'est maintenant recollée à toi dans le lit, plus amoureuse que jamais, satisfaite, heureuse. Tu as gagné ! Aussi, est-il l'heure de te lever, de renfiler ta mauresque, ta grande culotte. Et bien le bonjour à notre Sainte Mère l'Église !

Mais tu ne te lèves pas, l'air moqueur. Tu ne secoues pas ton caleçon, question de le défriper un peu, de les défriper tous tant qu'ils sont. Tu la regardes, plutôt tu admires son cou, son épaule, cette chute des reins par-dessus son épaule. Jamais vu pareille chute de reins !

Va-t'en ! Va-t'en, donc ! Retrouve ton insolence et ton sarcasme ! Secoue ton caleçon...

Maintenant elle se colle complètement à toi, t'embrasse à bouche que veux-tu. Mais d'où tient-elle pareille ardeur, pareille sensualité ! Elle te regarde dans les yeux. Les siens sont magnifiques et profonds. Noirs comme une Blanche ne devrait pas avoir. L'envie te reprend d'elle.
Va-t'en donc, avant qu'il ne soit trop tard.
Tu restes et vous vous aimez à nouveau. Toi qui en as « cassé » trois – défloré, si tu préfères – tu ne savais pas qu'il était si bon de faire l'amour à l'amour !

Bientôt, sa tête contre ton épaule, avant de vous prendre encore, vous éprouvez le besoin de bavarder. Elle est loin d'être bête, est sans préjugés, sans « complexes » – comme elle dit, bien avant que le mot ne devienne à la mode. Elle en a lu des choses : de Tolstoï à Zola. Et pas pédante pour autant...
Les jours passent. Vous vous aimez de plus en plus, comme pour la dernière fois. Ardence. Larmes à vos yeux, rire à vos bouches. Vous dévorez vos quatre semaines. Vous les brûlez par les deux bouts. Seules, elles ne seraient pas passées si vite.

La duègne a disparu. D'elle, ne reste que le repas chaud servi à midi et le soir – vous le dévorez froid à trois heures et minuit – et les brocs constamment alimentés, les serviettes renouvelées, dans la salle d'eau en face.

Ernestine, puisqu'on l'appelait ainsi, tu ne devais la revoir qu'une seule et unique fois, plus de six mois après. Esther plus jamais :
– Ils ont enfermé Mademoiselle dans sa chambre dès leur retour. Et puis, la semaine dernière, ils lui ont fait prendre le bateau : cela commençait à trop se voir.

Impossible d'en savoir davantage – sinon que la vieille se trouble quand tu demandes si Esther supportait bien, et refuse violemment de la tête, quand l'aveuglement te pousse à dire qu'elle est sûrement partie de son plein gré.

Ces six mois, tu les as passés à l'espérer comme un fou. D'abord au banc sous le ficus. Dès l'entrée de la messe – cinq heures et demie à ta montre –, tu fais déjà le chemin du retour, car elle n'arriverait jamais en retard à l'église. Tu vas jusqu'à sa maison.

Ici, la ruelle devenait infâme : les eaux usées s'infiltraient entre les pavés disjoints du caniveau. Des petits volets vermoulus s'ouvraient à hauteur de genou sur des tinettes à merde. Maintenant, les mêmes pavés sont à sec. Les volets sont complètement pourris. Réduits quelquefois aux pentures, ils béent sur rien : une petite loge cubique où poussent le lastron[1] et l'oseille de France.

Le beau quartier revient. La maison n'a pas changé. A la seule différence qu'elle était neuve à l'époque, et qu'elle doit être termitée à cœur maintenant. Elle est toujours fermée, toujours toute sombre. Le portail en est solidement bâclé : deux tours de chaîne et un énorme cadenas. Tu saisissais, alors, ces barreaux à pleines mains. Supplication, rage, désespoir... désespoir...

Tu erres dans les rues comme jadis – cela semble hier. Tu reviens au banc, à la voiture. Elle a l'air sinistre dans sa robe de grand deuil, « Pour Cythère... » ! « La Veuve noire », oui ! Le Gaby ronfle sur la banquette arrière. Tu le bouscules pour le réveiller. Il essuie, à la manche de sa veste d'assassin, le filet de bave qui coule de sa bouche entrouverte. Il sourit. Le pauvre type !

Tu repasses à faible allure devant l'église.

1. Le laiteron.

154

Combien de ces putains de matins que Dieu impose, es-tu revenu ici ? As-tu franchi ce porche ? Pris de vertiges, t'es-tu appuyé contre ce pilier ?...

Tu lis la Bible maintenant – la Bible qu'elle t'a dédicacée – et tu ne dis plus « foutaise ». Les soirs où la sensualité te prend – souvenir du temps où vous faisiez l'amour – c'est le Cantique des cantiques. A désespoir, tu lis l'Apocalypse. Cela se termine toujours, d'ailleurs, par l'Apocalypse.

Tu essaies le bulletin paroissial : *Dieu et Patrie.* Tu ne peux pas : cela pue son camelot du roi à la sauce coloniale ! A-t-elle déjà lu *Dieu et Patrie ?* Elle ne t'en a jamais parlé. Tu abandonnes la lecture de ce canard ignoble. Aller plus loin qu'elle serait te trahir complètement, la trahir aussi, sûrement.

Est-ce que tu aurais pu t'agenouiller avec les autres ? Elle le faisait bien ! Le pilier t'aide. Du moins par son manque d'agenouilloir : il ne résout pas, mais supprime le problème.

Tu roules, lentement, sans but. Malgré toute sa gentillesse, retourner chez Marguerite, est-ce un but ? Une habitude, tout au plus. Aimé ! Oui, il y a Aimé ! Peut-être Aimé...

Ta tête est vide. Hors Esther il n'y a plus rien. Cela fait plus d'un an qu'elle a disparu. Elle a eu son bébé, maintenant. Mais tu n'en as rien à foutre, de ce bébé. Ils tuent l'amour, les bébés. Tu ne peux plus toucher au sein de la mère, sans qu'elle ait l'impression que tu la voles à sa progéniture ! Sans l'enfant, elle serait probablement en ville, et tu aurais fini par la retrouver. Sans l'enfant peut-être se serait-elle rebellée, te serait-elle revenue ? Tu le détestes cet enfant. Peut-être est-ce même l'absence – dont il est cause – au fil à linge des toiles périodiques qui a tout déclenché.

S'il te plaît, ne lui attribue pas tous les péchés d'Israël ! Et si

155

c'étaient les cernes, ces cernes grands comme deux vans à trier le riz, et violets comme jamblongs, dont toi, tu es l'auteur ?

Tu t'imagines toucher le fond, mais pire encore arrive.

– Je suis le nouveau père, je m'appelle Ferrut... F.E.R., deux R, R.U.T. Férute !

Il fait rouler ses R en bon originaire de Lavelanet. Il veut mettre toute la paroisse au pas. Toi, tu t'en fous. De ton pilier tu regardes ton Esther. Elle prend quelquefois la forme d'une très vieille et très belle qui lit son livre de messe. Tu la vois comme elle sera dans cinquante ans. Tu l'imagines dans ta petite maison, sous ta varangue, lisant – pourquoi pas Claudel ou Mauriac ! si le cœur lui en dit. Tu fermes les yeux : c'est l'Esther que tu as connue qui revient. Dans son absence et ta tristesse.

– *Vade retro ! Vade retro, Satanas !*
Ces hurlements te sortent du rêve d'elle.
« *Vade retro !*

Il est là, le Ferrut, roulant des yeux furibonds. Il passait lui-même la quête pour en ramasser davantage et il t'a reconnu, toi et tes dix-sept mauvais articles.

« *Vade retro Satanas ! Vade retro* le communiste !

Il agite vers toi sa sébile pleine de pièces qui font un de ces boucans. Il aurait sûrement préféré le goupillon et l'eau bénite, mais il n'a que du fric à brandir : tout un symbole !

Mais tu sors, tu décides de sortir :
– *Vade retro,* il hurle derrière toi. *Vade retro !*
Tu sors sans rien dire. Pour elle. Uniquement pour elle. Peut-être as-tu eu raison.

Non, tu n'as pas eu raison. D'un envers de main, lui fendre la gueule à cette hyène : voilà ce que tu aurais dû faire ! L'obliger à bouffer sa soutane, son étole et son surplis. Leur fendre la gueule à tous. En particulier – après avoir fait sauter, d'un coup de barre, les chaînes et le cadenas du portail – aux deux charognards de parents. Les prendre, lui par la barbe, elle par le chignon, les foutre forcer à se mettre à genoux puisqu'ils aiment ça. Leur faire avouer où ils la séquestrent. Foncer jusqu'à elle...

Mais tu leur as laissé planter ce poignard dans ton cœur. Cette douleur atroce qu'ils te font. Prends ton cœur à deux mains. Lâche le volant. Prends ton cœur. Protège-le des deux mains. Les cachets ! Où sont mes cachets ? Ces maudits cachets...

Esther, sauve-moi !... Esther !

Troisième partie

1

Assise sous son manguier, Margrite trie son riz. Quand on dit : Margrite trie... sa main trie, sa main trouve seule, se pose seule sur le dernier paddy, le caillou qui – blanc de silex – voudrait se faire passer pour grain, la paille rare, l'ivraie fréquente. Tandis que la main trie, l'esprit est par hausses, baisses, cabosses et bas-fonds.

Hier, enterrement de Gaétan, et aujourd'hui Margrite trie son riz. Comme elle l'a toujours fait, tous les jours, depuis cinquante et quelques années.

Sauf avant-hier et hier.

Depuis ce matin, Margrite a recommencé à tout faire comme avant. Elle a, par exemple, versé les deux habituelles petites pintes de riz de Madagascar dans le van de bambou tressé. Mais deux pintes, cela fait – aujourd'hui – trop, contrairement aux autres jours...

Qu'elle le veuille ou non, la vie ne sera plus jamais pareille.

Margrite éprouve-t-elle du chagrin ? Pour son petit qui aimait tant le vieux, c'est indéniable. Pour elle-même, pour son propre compte, elle ne saurait le dire. Elle sait seulement que le sentiment escompté il y a peu encore, de libération, ne répond pas.

Cela s'était passé de la même façon pour Sylvert. Elle n'avait pu se sentir dégagée à sa mort. Pourtant, il n'y avait

161

pas eu un seul dimanche – où il partageait le rhum avec ses fils de premier lit –, l'attendant (vente ou pleuve !) dans la nuit, aux pieds du raidillon bordé de vétyver, qu'elle ne l'ait souhaitée, cette mort.

Ivre, elle savait qu'il le serait. Mais à quel point ? De simplement titubant, qu'elle puisse le soutenir jusqu'à leur savane[1] de terre damée ? Aracké au point de s'étaler dans ce champ qui ne leur appartenait même pas, qu'elle soit, en plus, obligée d'aller mendier de l'aide chez le voisin – à la colère de cette pimbêche crevant de jalousie, que ce dernier avait trouvé moyen d'épouser ?

Chanterait-il ? pleurerait-il ? Serait-il à demi propre, ou enduit de vomi de la tête aux pieds ? Et s'il gueulait au débordement de vessie, ne serait-elle obligée de lui déboutonner la braguette, de lui sortir la chenille à urine, que ne s'ajoute le pissat au dégobillage ?

Car il y avait Joseph, et l'idée que Joseph se faisait de son père. Et il n'était pas question que Joseph grandisse sans père, ou avec un père ivrogne, ou avec un père enduit de dégobillement de rack et trempé de pisse.

« Le père de Joseph n'est pas paresseux : il est simplement vieux et fatigué d'avoir travaillé toute sa vie.

« Le père de Joseph n'a pas vomi son punch à la vanille, son rhum arrangé, son pousse-café, ses multiples pousse-pousse-café : d'avoir mangé roches et pierres dans sa jeunesse, il a l'estomac fragile et il ne peut plus rien digérer.

« Le père de Joseph n'a pas pissé dans son caleçon, sa grande culotte, sur ses propres jambes – et pour cela, Margrite n'a aucune raison à trouver, car elle lui aura sorti et tenu le cabot-gargouille, avant qu'il n'ait eu le temps de se mouiller, de se puanter de jus de blade[2] au rhum. »

1. Aire dégagée autour de la case.
2. La blade : la vessie.

Voilà donc Margrite Bellon tenant l'asticot d'un barbon ivrogne, qu'il puisse uriner debout comme il prétend que doivent faire les hommes. Et cela pète à l'arrière, rote à l'avant, gicle par cette saucisse pendante qui la saligauderait si elle n'y prêtait attention.

Ça, ça la mettait dans des colères folles. Des colères à ne plus se reconnaître. Elle était de tempérament calme, Margrite, et femme de dévouement sans conteste, mais tenir la pipe à un soûlard ! Non, elle ne pouvait l'admettre ! Seule commise, elle te l'aurait arrachée d'un coup de rage cette saloperie d'andouille, elle te l'aurait jetée au sol. Elle te l'aurait écrasée du talon, cette tripe à merde verte comme seules les chenilles ont.

Et elle te l'aurait foutu au fond du rempart de la ravine, ce vieux cochon de cochonceté qui t'oblige – parfaitement t'oblige ! Que faites-vous des alentours et circonstances de la vie qui vous écrasent de tout leur poids ! – à lui tenir sa pipe sale.

Mais elle avait un fils. Et cette baderne dégueulasse était son père. Un bon père en plus ! Bon Grand-père plutôt, car c'était elle, et elle seule, qui posait la marmite sur le foyer, qui mettait le feu dessous, et le manger dedans. C'était elle qui baignait le gosse, l'habillait, l'écolait, le grondait, le forçait quand cela – rarement il est vrai – s'avérait nécessaire.

Lui, le Sylvert, avec et pour « son » Joseph, jouait aux osselets de graines cadoques[1], à l'éleveur de jaques avortés, aux toupies-letchis, aux roulettes de feuilles de canne. Un bon Grand-père pour son dernier fils – il avait sûrement été plus sévère avec les gaillards de son premier lit.

Alors Margrite, pour cela, rien que pour cela, ne le jetait pas du haut du rempart, lui servait le manger qu'elle avait gagné,

---

1. Arbuste à grosses graines, lisses et dures.

163

lui lavait la mauresque qu'elle avait payée de sa sueur, et lui tenait la charcuterie, quand il essayait – impotent, aveuglé, ivre – de la sortir, le dimanche à neuf heures du soir, revenant soûl comme un porc de chez son premier fils qu'il devait à une autre.

A bien réfléchir, Gaétan la respectait davantage et valait bien plus. Mais, à force, Margrite en avait par-dessus la tête, non seulement d'être servante d'homme, mais mère de vieux. Elle s'imaginait – du temps d'avant Ptit-mé – qu'elle aurait été soulagée de voir le Bénard avaler sa fourchette à manger le riz. Elle avait même souhaité, dans ses moments de grande colère, qu'il crève comme un chien au bordage de la route. Et puis, maintenant que Dieu avait fait son dernier travail, elle en souffrait pour Ptit-mé, comme elle avait souffert pour Joseph à la mort de Sylvert. Elle avait mal rien que de se souvenir comment eux deux s'accordaient bien ensemble, de repenser au sourire d'Aimé quand Grand-père lui disait :

– Dépêche-toi, camarade ! Tu vas nous mettre en retard ! Tu as donc oublié que nous allons « aux femmes » !
Elle avait mal au cœur de repenser au rire de son petit, quand Grand-père, se tournant vers elle, ajoutait :
« C'est mon compagnon de bordée ! »

Elle avait donc du chagrin pour son Ptit-mé. D'autant plus que Gaétan avait été exemplaire tous ces derniers temps, qu'elle n'avait pas eu depuis bien des semaines de reproches à lui faire. Même pour sa propre mort, tenez !
D'abord de n'y avoir pas mêlé l'enfant : comme s'il savait qu'il devait mourir, il l'avait laissé à la maison. La seule et unique fois qu'il sort sans Aimé, le voilà qui meurt ! Il savait, c'est l'évidence même ! Et il n'a pas voulu lui donner le saisissement ! Comment ne pas en être reconnaissante !

Et pour son installation de mort ! Pas un vomi, pas une diarrhée. S'arrangeant, en plus, pour mourir dans son beau costume de basin tout propre. Et sans le parfum qui aurait peut-être gêné – non pas Margrite, fille d'Antoine-Joseph et nièce de Calixte – mais ses quelques rares amis à lui : Saintange, son coiffeur des samedis, Mane-ti, son camarade-politique, Grand-gaby, son tourneur de manivelle...

Il ne restait plus à Margrite qu'à passer un dernier chiffon propre et sec sur ses chaussures, un coup de peigne dans la dernière rangée de cheveux qui lui restait autour du crâne...

L'oncle Calixte avait agi bien autrement : Margrite devait à son imprévoyance – toi, Grite Bellon, et ton ironie mal placée ! – d'avoir été obligée de s'enlever, au couteau de cuisine s'il vous plaît, ce plâtre qui refusait de laisser passer la manche de la robe de deuil. Elle lui devait ainsi non seulement son poignet tordu, soudé de travers, mais une main trois mois pendante dans une serviette de table.

Margrite revoyait ses petits boudins de doigts gonflés, souffreteux à faire pitié, sortant des carreaux roses et blancs de la serviette. De sa main gaillarde elle en aurait foutu des claques à la gnangnan, l'autre, la déserteuse. Elle lui en aurait foutu des claques, si la valide n'était toujours prise à quelque chose, et tout d'abord, le premier jour même, à brosser les pétures pleines de boue des pieds de Calixte mort. Avec, en guise d'accompagnement, la meute orpheline qui avait envahi le salon et chialait tout autour...

Et la tante Yoyo, qui te meurt à quatre-vingt-cinq ans, sans son drap, sa robe blanche, rien ! Que du linge fantaisie, de la broderie malgache, de la robe à fleurs ! Et deux armoires bourrées de ces saloperies !

Pour son virer lof aussi, Gaétan avait trouvé de la gentillesse. La grande crainte de Margrite était de tomber au ser-

vice d'un restant d'être humain – des restes de moins en moins
conséquents, de moins en moins reconnaissables, de plus en
plus encombrants : les jambes d'abord qui s'en vont, ensuite la
tête, puis les bras... Jusqu'au moment où on ne se retrouve
plus que devant des orifices. Des trous bavant, survoquant,
foirant, incontrôlables, à toujours essuyer, tamponner, épon-
ger... Non, Gaétan s'était arrangé pour mourir d'un bloc et
non bout par bout – comme certains font, que les autres, à
commencer par ceux qui les aiment, aient bien le temps de
goûter leur mort.

A propos de mort en bloc ou bout par bout, l'oncle Fernand
– bien fou de la famille aussi celui-là, et que Margrite adorait !
– avait joué un drôle de tour à la cousine Élise lors de son
propre mouroir. L'extrême-onction lui avait été accordée,
pire : la fleur d'oranger. Les reins ne marchaient plus, les yeux
ne s'ouvraient plus, le cœur battait une fin de breloque. La
bouche, même à vide, ne mâchait plus qu'imperceptiblement.
Et voilà la vieille cousine – déjà installée à deux pas du
canapé[1], chapelet sorti et toutes prières révisées – qui se
demande, à voix haute, quelle robe elle allait bien pouvoir
mettre le jour de l'enterrement !
— Pourvu que je voie pas la vilaine graisse de ton vieux cul,
avait dit le Fernand avant de rentrer dans le vestibule de la
mort... Du reste, j'en ai rien à foutre !
Margrite s'en essuyait encore les yeux.
— Des larmes de rire, elle disait, de rire...

Avec la peur que Gaétan avait de tout, en particulier de la
mort, Margrite s'attendait, son heure venue, à lui voir rouler
dans les orbites des yeux apeurés, à lui entendre – pour atten-
drir le cœur du Grand Journalier – pousser des cris de cochon

1. Lit mortuaire.

166

qu'on met en perce. Mais non, il était mort tranquillement dans sa « Pour Cythère... ».

D'après Grand-gaby, qui avait débarqué vers les neuf heures le portant dans ses bras (il commençait à s'habituer à porter les cadavres de cette façon-là, le Gaby : Ptit-mé dans l'allée de palmistes, le jour du cyclone ; Ptit-mé à l'hôpital ; je ne sais combien de copains en Indochine ; le sergent-chef lui-même, tué par un Viet ou un Minh – Gaby n'avait jamais bien compris !), d'après Grand-gaby, Grand-père avait bordé la voiture, là, cent mètres plus bas, dans le tournant de L'Arroseuse. Il avait coupé le contact, s'était tenu la poitrine quelques secondes, avait prononcé quelques mots incompréhensibles avant de tomber sur le volant.

Il avait donc été gentil. Et pour la voiture aussi : sa « Pour Cythère... » – dont Margrite ne saurait probablement quoi faire ou fiche – n'avait pas posé de gros problèmes. Mane-ti n'avait eu aucune peine à la faire redémarrer et à la rentrer.

Tout à l'heure, Mme Nièl est venue t'embrasser.
– Je suis avec toi, tu sais ?
– Bien sûr que je le sais.
– J'aurais voulu venir au veille hier au soir. Mais je n'ai pas pu, tu sais ?
– Je sais.
Elle ne s'assied même pas comme tu crois devoir l'y inviter, et tout en lâchant, vite, vite, ses deux paroles de réconfort, ne cesse de regarder du côté de sa maison, au cas où sa fille rentrerait à l'improviste. Elle fait vinaigre pour se sauver, la pauvre Mme Nièl. Et pauvre Huguette aussi, qui a plus honte de sa mère que si elle avait tué le bon Dieu !

Maintenant, Margrite, que tu as trié ton riz, attendras-tu le onze heures pour le mettre à cuire ? Ou pourquoi pas de suite, au sel et safran, pour le servir en guise de petit déjeuner ? Gaétan et Ptit-mé s'en lécheront... Gaétan...

Te voilà qui te mets à chialer ! Non vite, une histoire qu'il racontait. Celle de Pâques :

– Mais qu'est-ce qui t'arrive ?

– Dieu est mort !

– Vieille sotte, va !

2

Le riz était archi-cuit que Ptit-mé dormait toujours. Il en avait aussi, en plus de la fatigue du chagrin, du retard de sommeil ! A commencer par cette grande nuit de veillée du corps...

S'il avait été, ce veille, comme l'exigent habitudes et coutumes, à tournées de rhum – le soir –, de café – au petit matin –, si l'on avait abattu les cartes dans de grands éclats de rire, tapé le domino, posé la devinette et récité le « Je vous salue Marie », peut-être qu'alors (s'il y avait eu tout cela entre lui et sa peine) Ptit-mé aurait gagné le sommeil et un peu de repos. Mais Grand-mère et Gabriel avaient décidé que cette nuit serait de silence et de méditation...

Gabriel, le fils de Gaétan, dont tout le monde connaissait l'existence malgré les précautions de son père.

Prévenu par Mane-ti, au nom de Margrite, il avait contre toute attente quitté au plus vite son immense bureau climatisé, où d'habitude, disaient certains, il travaillait jusqu'à des heures impossibles ; donnait ses rendez-vous galants la nuit, prétendaient d'autres.

Il était venu.

Et pour avoir calme et recueillement, il avait même, en personne – lui qui pourtant ne manquait jamais sa messe le dimanche –, interdit la porte d'entrée à la capitaine de prière (une imitation de Marie-Madeleine au repentir causé par l'approche de sa propre mort, que personne n'avait sonnée ni informée, mais qui avait l'odorat fin pour le mortuaire) :

169

– Vraiment, les patenôtres que vous proposez ne nous intéressent pas ce soir ! avait-il déclaré. Allez-vous-en !

– Le Bon Dieu l'a déjà puni. Il le punira encore, criait l'autre dont la compagnie, qui ne se résumait plus qu'à quelques grenouilles et cafardes, lançait des « Je crois en Dieu » comme des malédictions.

– Il vous punira ! Il vous punira tous !

De ces imprécations, le fils n'avait rien à faire. De même qu'il lui importait peu de choquer les amitiés tardives que l'alcool de veille suscite. Aussi, avec la permission de Grand-mère, demanda-t-il à Grand-gaby (qui, pour ne tenir que son rang et respecter adéquatement ses relations avec le défunt, restait sous la varangue) de ne laisser passer que les amis sûrs.

Puis il vint s'asseoir sur une chaise, dans l'obscurité d'un des piliers de bois qui soutenaient le toit de l'immense chambre de Grand-père.

Ni cette présence – qui sut se faire tout à fait discrète – ni la très courte visite de Mane-ti et de Ma-kin, son épouse, celle de Marcel, le frère de Gaby, n'auraient pu distraire Ptit-mé de sa peine. Toute la veillée, il resta assis à côté de Margrite sur le petit banc que Saintange, pensant qu'il y aurait eu du monde et que cela aurait rendu service, avait apporté à tête.

A certains moments, Ptit-mé prenait le bras de Grand-mère. A d'autres, il appuyait sa tête contre la vieille épaule. Ou alors, quand une montée de chagrin l'amenait aux larmes – atavisme des attitudes ? Grand-mère aussi faisait cela –, il se redressait, et, raide en anspect, pleurait silencieusement.

Grand-mère ne lui disait rien, ne faisait rien, sinon qu'après l'avoir laissé seul à sa souffrance quelques instants, elle lui prenait la main et la serrait très fort.

La nuit entière, Ptit-mé la passa ainsi. Grand-mère se demandait comment il résistait au sommeil. Sa tête penchait, bien sûr, ses yeux se fermaient, mais au moment de se quitter, dans un ressaut, il retrouvait la connaissance et le malheur.

170

Jusqu'à tout récemment, Gabriel (Esther avait réussi à sauver les deux premières lettres du prénom de son amant pour en faire celui de son fils), Gabriel pensait n'être que le fils de sa mère. Il le croyait d'abord de l'avoir entendu ressasser par ses grands-parents lorsqu'ils venaient de leur île lointaine passer des vacances à Tours où lui grandissait en institution :
 – Le portrait tout craché d'Esther !
 – Il en a la piété : la pauvre communiait tous les matins.
 – Il en a la ferveur.
 – Le regard, le même regard !
 – Son petit caractère, tout comme elle !

Diplôme d'inspecteur des impôts en poche, il avait obtenu sa mutation pour l'Ile (non natale, et malgré cela maternelle). Il avait alors fait une tentative pour se donner un père.
 Quand, au milieu de la foule des Bénard, il avait réussi à trouver le bon, la mamie – qu'il avait mise au courant, pour ne pas pêcher par omission, pensait-il, en fait par représailles inconscientes de ces interminables années sans affection – l'avait mis en garde :
 – C'est bien ce Bénard-là, mais...
 – Mais ?
 – N'y va pas ! Ça n'est pas pour rien que nous avons préféré, Papie et moi, te faire naître et grandir loin d'ici. N'y va pas : tu ne peux qu'être déçu !... Il va te faire du mal !
 Et puis, sachant qu'elle ne l'avait pas encore convaincu, elle était allée jusqu'au petit secrétaire et, sous la liasse de vraies factures réglées depuis trente ans, dans une enveloppe marquée « anciennes notes d'eau », elle sortit les dix-sept articles que Gaétan avait commis, qui avaient rendu irréparable la « faute » de sa mère d'une part, sa « subornation » de l'autre.
 Il avait lu cette « prose infâme », en avait été profondément

choqué. Il s'était, malgré cela, rendu jusqu'à son père qui avait tout fait pour le repousser : regards mauvais, profession d'athéisme, vanterie d'illégalités, déclaration d'anarchisme... Malgré – à cause de ? – l'évidente provocation, Gabriel s'en était retourné des plus déçu.

Aujourd'hui, réflexion faite, il était bien conscient de partager les torts de leur non-rencontre. Aujourd'hui, car non seulement son père était mort, mais bien des choses avaient récemment changé dans sa vie.

Alors que sa femme s'était mise à passer « le très-peu de temps qu'il lui restait à vivre » (comme elle avait l'habitude de dire) aux réunions du « Franc au décès » (s'inscrire sur la dernière liste d'attente, à quarante-huit ans ! Gabriel ne savait pas siffler de mépris, mais il n'en pensait pas moins !), lui s'était épris de Célia. Cette jeunette de vingt et un ans, rencontrée par hasard, lui avait révélé sa vraie nature pétrie de sensualité. En fait, elle ne lui avait appris que la chair, mais elle avait indirectement amené l'alcool – dont il usait à dose raisonnable, il est vrai –, le tout s'ajoutant à la bonne cuisine, dont il avait toujours eu tendance à abuser.

Sa bedaine naissante et sa calvitie déjà bien avancée le faisaient ressembler de plus en plus à Gaétan, qu'il se sentait d'autant plus apte à comprendre qu'il en avait, maintenant, dans bien des domaines, le même comportement.

– Ce vieux coureur de femmes ! se disait-il devant son père installé sur son dernier lit.

Car il avait fait son enquête après leur entrevue de jadis.

« Ce vieux coureur de femmes !

Mais l'allure de reproche n'était que déguisement de complicité.

« Ce coco que les cocos mêmes refusaient.

Certes, communiste, Gabriel ne l'était pas, mais il avait vu tellement de braves types et de salauds de tous bords.

172

« Ce vieil athée...

Mais si la lanceuse d'anathèmes de tout à l'heure était chrétienne... alors, vive l'athéisme !

« ...Ce bouilleur de cru marron...

Il en était revenu, monsieur le Grand Contrôleur des fraudes, du sacro-saint respect de la loi : le nombre de fois où le pouvoir politique lui avait demandé de fermer les yeux sur des affaires autrement graves que ces quelques litres de rhum-jambos distillés par bravade.

Gabriel comprenait donc son père. Mais était-il réellement son père ? Que sa naissance n'ait pas été la bienvenue, Gabriel se l'imaginait bien. Que circonstances et fatalités en aient été la cause, il l'admettait volontiers. Mais aurait-il pu être désiré ? Amoureux, et comblé par cet amour, il était même prêt à un genre de piété filiale, à condition que son géniteur eût aimé – plus que charnellement – sa mère. Car c'était la seule condition pour que lui, Gabriel Lapierre, ait été rêvé, eût été un jour voulu.

Les seuls arguments qu'il possédait jusqu'à maintenant étaient bien minces et contradictoires : à l'époque de la fameuse entrevue, Esther avait été, pour le moins, compensée depuis longtemps. D'autre part, de la très vieille Indienne, nénenne de la famille, qu'il avait souvent questionnée avant qu'elle meure, il n'avait pu tirer que du pas grand-chose : « Oui, monsieur Gaétan (et la voix s'abaissait, le regard apeuré se tournait vers la maison des anciens maîtres à plus de vingt kilomètres de là) attendait mademoiselle Esther sur le chemin de l'église. Oui, il entrait derrière elle à la messe. Oui, il faisait le retour avec elle. » Non, elle n'en savait pas plus, sinon que cela avait duré longtemps et que mademoiselle Esther riait beaucoup en ce temps-là.

Ça, qu'Esther fût amoureuse, son fils n'en doutait pas. Mais lui, Gaétan, rendait-il cet amour ?

Lors de cette fâmeuse entrevue avec son père, il avait essayé de le manœuvrer pour avoir réponse à cette question :

– J'ai demandé votre adresse à maman, avait-il menti en priant que sa défunte mère lui pardonne ce mensonge. Elle semblait heureuse que je veuille vous connaître...

Mais le Gaétan Bénard, non seulement n'avait fait aucune tentative pour la revoir, mais n'avait même pas bronché !

Voilà ce à quoi continuait de penser monsieur l'administrateur en chef des contributions, dans cette grande maison vide et branlante, en regardant cette vieille qui, à la pointe du jour – après avoir réussi à coucher ce petit jeune si émouvant dans ses pleurs – lui faisait du café dans une vieille graigue en zinc, sur cette vieille table à toile cirée...

Gabriel se leva, prit les deux petites tasses de Chine toutes neuves que « le Chinois » avait sorties de sa vitrine hier au soir pour les donner à la vieille. Il servit le sucre roux – trois petites cuillerées pour elle et deux seulement pour lui –, le fit dissoudre. Il se leva même pour tendre sa tasse à la dernière compagne de celui dont il aurait aimé, pour son âge mûr et sa vieillesse (mais ladite vieillesse viendrait en son temps), faire son défunt père.

Et elle, comme une gentillesse en retour – la soubique [1] qui ne retourne pas vide après le cadeau de fruits et légumes de la cour –, s'était levée, était allée glisser la main sous l'oreiller du défunt où elle savait qu'il cachait son livre noir.

Le fils prit ce vieux livre dont il s'aperçut avec étonnement que c'était la Bible. Son étonnement se doubla d'un grand coup de joie quand il lut la dédicace de petite écriture serrée :

> Pour toi Gaétan,
> que tu la lises, au moins par amour pour moi.
> Esther.

1. Petit cabas.

Visiblement le livre avait beaucoup servi. Gabriel en eut chaud au cœur... Mais si, à la fin de sa vie, le sus-nommé Gaétan était, par peur de la mort, tombé dans la bigoterie ? Il se serait souvenu de l'existence de cette vieille bible, l'aurait ressortie...

– Était-il devenu croyant ?

Et comme Grand-mère hésitait :

« Fréquentait-il l'église ? Allait-il auprès d'un quelconque curé discuter religion ?

Grand-mère ayant répondu, presque outrée, par la négative, alors Gabriel eut enfin un père.

Il posa sa tasse à moitié pleine, se leva, regagna la chapelle ardente, souleva le drap qui recouvrait le visage du mort, le regarda longuement. Puis se mit à genoux et pria, rien que pour remercier Dieu.

Après l'enterrement, de retour dans cette case que son père avait désertée, Gabriel dit :

– Tante Marguerite...

(La femme de son père, si gentille de surcroît, méritait bien d'être appelée « tante ».)

« Tante Marguerite...

D'être ainsi appelée par le fils de Gaétan aurait dû simplement faire plaisir à Grand-mère, mais ce timbre de voix si proche (en plus jeune évidemment) de celui de Gaétan, ce « gue » que ce dernier seul, jusqu'à maintenant, prononçait au milieu de son nom, l'émurent aux larmes.

« ...Je sais que dans cette maison tout est à vous...

Grand-mère protesta vivement :

– Il y a ici des tas de choses qui appartiennent... qui appartenaient à Gaétan : le lit, l'armoire...

La fameuse armoire ! Grand-mère l'avait oubliée, celle-là !

175

Et la voilà qui revenait avec sa porte cadenassée – et clouée ! Et si cette armoire l'agaçait un peu à l'époque, elle l'enquiquinait au plus haut point maintenant. Ainsi bouclée, elle devait contenir quelque trésor précieux, quelque secret fondamental. Dans les deux cas, trésor ou secret, Grand-mère n'avait aucun droit. Vol ou viol, elle ne voulait se sentir coupable de quoi que ce soit.

– C'est l'armoire de Gaétan.

Gabriel d'un haussement d'épaules, d'une moue, d'un geste de la main droite – la gauche tenant serrée cette bible sur sa poitrine –, voulut balayer les réticences de Grand-mère : elle gardait tout, tout lui appartenait, tout était à elle.

Mais cette dernière ne l'entendait pas ainsi. Elle posa donc clairement le problème, insista pour qu'on le règle au plus vite : que Gabriel, par exemple, prenne l'armoire telle quelle, qu'il s'en aille avec...

Le fils aussi, que cette histoire – prenant toute seule une odeur de curiosité, de cupidité successorales – gênait, ne voulut pas y toucher. Alors qu'un seul coup de ce démonte-pneu qu'il avait dans sa voiture aurait suffi, il demanda que l'on fît appel à quelqu'un d'autre, et pourquoi pas à ce Chinois si serviable...

Grand-mère en fut soulagée. Et Mane-ti arriva bientôt avec des tenailles, un tournevis, une scie à métaux.

Mane-ti avait à peu de chose près l'âge de Gabriel, mais il avait bien une tête et vingt kilos de moins. Sec, nerveux, avec ses sandalettes de caoutchouc aux pieds, il ressemblait à un maquisard indochinois (mis à part son teint qu'il tenait en grande partie de sa mère indienne). Lui-même, pour farcer, disait :

– Je suis un Vietminh et Truman n'a qu'à bien se tenir !

Il disait aussi à défunt Gaétan, question de le gasconner :

« Truman, au fait, c'est peut-être vous : vous lui ressemblez

tellement. Ou tiens ! ne seriez-vous pas Churchill, l'autre suppôt de l'impérialisme ?

« Il abaissait ses lunettes jusqu'au bout de son nez, défunt
Gaétan, racontait, tenailles en main, Mane-ti ému presque aux
larmes. Il me regardait par-dessus, cherchant la réponse qui
fait mouche : " T'es sûr que tu ressembles pas plutôt à Bao-
daï ? "

« Ça, il aimait plaisanter, défunt Gaétan !

Et si Mane n'arrêtait pas de parler en déclouant la porte de
l'armoire, pour, probablement – Gabriel et Grand-mère ne
disant mot –, chasser le silence de la mort, il se tut au moment
où ladite porte céda.

Mise à part une boîte à chaussures pleine de papiers jaunis,
l'armoire était vide. Margrite en fut presque heureuse. Parmi
quelques vieilles lettres anodines dont on pouvait se demander
pourquoi Gaétan les avait gardées, un vieux document tam-
ponné « République française, ministère des Colonies » : la
mine de sel.

Gabriel lut à haute voix :

Je soussigné, Vincent D., gouverneur général de Madagascar,
accorde à M. Bénard Gaétan, de nationalité française, concession
d'une mine de sel sise à...

Le document était barré d'un grand trait d'encre noire et en
mention marginale était écrit d'une petite écriture fine, serrée,
régulière :

Restituée au peuple antandroy, ce 17 novembre 1938.

En dépliant la carte topographique jointe, une photo tomba
sur le sol d'une Malgache jeune et belle. Elle était debout sous
la varangue d'une maison coloniale d'aspect modeste. Au dos,
visiblement de la même écriture, mais plus heurtée, peut-être
plus hâtive, ou alors émue :

L'une et l'autre, case et ramatoa, restituées au peuple antandroy, ce 19 novembre 1938.

– J'ai bien peur que ce soit de l'humour aux dépens de cette jeune femme, dit Gabriel.

Une lettre du Grand Orient de France.

Rien d'autre, sinon une enveloppe contenant deux louis d'or (la cause des cadenassage et clouage) et une vieille bande de journal au dos de laquelle on pouvait lire – ici l'écriture était redevenue calme :

29 325 francs de la Compagnie française d'Afrique, convertis par moi, Gaétan Bénard, en louis, le 17 septembre 1956, à la demande exprès de Simon Abart...

– Défunt Simon Abart, précisa Mane-ti.
– Le père de Vivano-la-flamme, ajouta Grand-mère pour Gabriel, un malheureux qui a vendu sa carte électorale pour une grappe de poissons.

... « A remettre, à la demande de l'intéressé, au premier représentant sobre issu de ses œuvres, ou des œuvres de ses œuvres, etc. »

Gabriel, sans rien comprendre des tenants et aboutissants de cette affaire, tenait à ce qu'elle soit réglée au plus vite. Il se tourna vers Grand-mère :
– Je présume que papa aurait déjà réglé ceci, s'il y avait eu dans cette famille...
Grand-mère se tourna elle-même vers Mane-ti qui, tenant la buvette, était le mieux placé pour répondre :
– Ils aiment tous « ça » : les fils, petits-fils... le cochon lui-même, si l'arack passe à sa portée...

Le fils ne put s'empêcher de sourire :

– De toute façon, on ne peut garder cet argent.

Il tendit l'or à Grand-mère, qui le remit à Mane-ti.

– La première des petites-filles, peut-être, qui va se marier bientôt... ? demanda ce dernier.

Grand-mère approuva de bon cœur. De bon cœur aussi, elle acquiesça au désir du fils de conserver tous ces papiers.

3

Le soleil est déjà haut dans le ciel : il entre maintenant par la petite fenêtre de la cuisine et vient frapper la tête chauve de la pierre à Calixte. Grand-mère détache aux doigts, de la cuiller à laquelle ils se collent, quelques grains de riz au safran qu'elle goûte : il est cuit à point le riz jaune ; il doit s'être croûté au fond comme Ptit-mé aime. Ptit-mé qui n'est pas encore levé.

Peut-être dort-il encore, ce qui serait excellent ! Mais peut-être sombre-t-il déjà dans de lugubres pensées, et, assis dans un brouillard de larmes, est-il prêt à perdre ce jour qui se présente à lui ?

Un jour est un jour, même si Aimé n'est pas en âge d'en tenir le compte : il n'est pas question de le lui laisser perdre sans rien tenter. Aussi, Grand-mère – sans tuer son feu que le riz reste chaud – le casse-t-elle rapidement sous la marmite, en écarte-t-elle les tisons, en égraine-t-elle la braise pour se diriger du plus vite qu'elle peut, à travers la grande case, jusqu'à la chambre de son petit.

Elle ouvre maintenant, lentement, précautionneusement, en chat voleur presque, la contre-porte de la chambre.

Ptit-mé dort : Grand-mère en est contente. Il est calme – d'ailleurs ces angoisses qui l'étreignaient semblent avoir disparu : Grand-mère en est heureuse. L'oreiller appuie peut-être un peu sur l'aile du nez, gênant sans doute la respiration. Grand-mère tasse légèrement le kapok à travers la toile, pour dégager l'entrée de la narine.

180

Elle s'assoit sur une chaise au chevet du lit. Elle attend. Peut-être laissera-t-elle son Ptit-mé s'éveiller de lui-même. Ou, quand les premiers mouvements de jour émergeront de son sommeil, peut-être le caressera-t-elle que son pied ne se pose d'abord sur l'herbe mauvaise de la peine.

En tout cas, il faudra vite qu'ils partent tous les deux. Vers un quelque part que Ptit-mé lui-même choisira. Par exemple descendre jusqu'à Stalingrad quêter quelque mangue de troisième fleur, ou la tomate-raisin qui, en vraie sauvageonne, n'a besoin de l'aide de quiconque pour aller au bout de sa maturité. Ou bien remonter la ravine sous le regard vert du basalte, jusqu'à ces filasses d'eau attendant main-forte des pluies d'été pour, devenues hordes barbares, dévaler à la plaine ? Peut-être même jusqu'aux bassins calmes où pondent les gardiennes d'eau [1] et tourbillonnent les gyrins ?

Ou bien encore sera-t-il, ce quelque part – trafic incessant, robes et maquillages, vitrines à premières télés que Ptit-mé n'a peut-être encore jamais vues –, la ville, que Grand-mère préférerait, Ptit-mé ne pouvant devenir, comme son père, sauvage et naïf à tomber sous la coupe de la première venue.

De toute façon, il faut qu'ils partent : l'odeur de Grand-père est encore trop présente sous le manguier, sa voix trop nette, et, apparente contradiction, son fauteuil trop vide.

Il faut qu'ils s'en aillent : la tristesse est casanière, elle ne se porte bien que dans l'air qu'a déjà respiré le disparu, que devant son verre vide, qu'au chapitre du livre qu'il n'a pu finir.

Il faut qu'ils marchent, qu'ils s'épuisent : la tristesse n'aime pas la chaleur de l'effort ni la transpiration – comme si le corps n'avait pas assez d'eau pour larmes et sueur en même temps.

Ptit-mé choisira donc la sortie qu'il veut. Mais Dieu fasse

1. Libellules.

181

qu'il y ait en chemin de ces montées qui, à elles seules, suffisent à fiche au chagrin un bon point de côté. Ou alors un sérieux déboulé de pente à lui flanquer, à ce maudit chagrin, des coups de cogne aux orteils, des chutes à lui découronner le genou.

Agile comme il est, Ptit-mé ne craint rien de tout cela. Et elle, Grand-mère, ce ne sont pas ses vieux bobos à la jambe qui lui feront manquer le pas.

Le ciel, tout à l'heure, commençait à se ramasser au sud-est en gros nuages noirs. Mais qu'il pleuve après tout ! A torrents ! Que l'avalasse lave le corps et le cœur ! Ptit-mé est trop bien guéri pour qu'un peu d'eau puisse lui faire du mal. Et de toute façon, bien enveloppées dans la toile cirée, tout au fond de la soubique, Grand-mère cachera pour lui serviette et chemise sèches.

Ils sortiront donc tous les jours. Puis, quand la coupe de temps se sera écoulée qu'il faut pour respecter la peine du petit – mais respecter n'est pas ruminer ensemble ou laisser ruminer –, alors Grand-mère trouvera jeux et moyens pour le distraire. Non, elle ne se forcera pas, ni pour la roulette de paille sèche qui semble dormir de tourner si rond, ni pour la sifflette d'herbe Saint-Paul qui chante quasiment comme musique en cuivre, ni pour la marelle qu'elle tracera à la craie sur le plancher du salon, à laquelle ils joueront tous les deux par jour de pluie – et tant pis si, par mauvaise estimation, elle n'a plus de place pour en dessiner le paradis. Car le paradis, c'est eux deux... ou la terre entière – mais où donc est la différence ?

Ne seront, Grand-mère, les pétards que tu feras éclater entre tes doigts qu'un change-idée, une distraction, un amuse-temps, un contre-chagrin pour ton petit : ils doivent être ton plaisir à toi. Un plaisir que Ptit-mé partagera, ou alors que tu remiseras. Mais s'il avait plaisir à partager ton plaisir, joie de partager ta joie, alors, tu en trouverais des idées !

Mais pourquoi, dès maintenant, ne pas aller au travail en voiture, puisque Ptit-mé sait conduire et que vous avez « pour Cythère... ».

Aller à son champ de roches et d'herbe dure en auto, comme les riches en balade ! Grand-mère sourit de la bonne ironie. Mais pourquoi non ? Ptit-mé prendrait le volant, il s'attiferait d'une dérision de casquette, et elle, elle se mettrait à l'arrière, comme le préfet qu'elle a vu passer en ville :

– Chauffeur, à mes propriétés, s'il vous plaît. Il me faut récolter de la souveraine pour m'en baigner les pattes.

Grand-mère, malgré le chagrin sous la cendre, est obligée de rire : la situation serait trop drôle !

« Ralentissez, chauffeur : si les oncles à képi nous voyaient !

Les oncles, en fait, dans leur jeep et costume kaki, pistolet au côté, la malchance est bien faible d'en rencontrer dans ces chemins de traverse, en pleine forêt de filaos.

« C'est bien, Aimé, c'est bien ! Arrêtez-vous là. Et n'oubliez pas, maintenant, de bien me bouchonner ce cheval !

Pendant que Ptit-mé conduit (pour la première fois aujourd'hui) son cheval de chrome dans ces chemins de terre bordés de sornet, de petit trèfle et d'herbe-la-misère, qui mènent à Stalingrad, revient à Grand-mère le souvenir d'un autre, vrai, cheval : celui d'Antoine-Joseph Bellon, son père. Non pas le propriétaire d'établissement, mais l'économe des autres. Non pas de Vincendo, mais à Sainte-Marie, s'il faut nommer cet ailleurs comme tous les autres et sentant la même déchéance. Même ce cheval, qu'il n'avait jusqu'alors jamais eu et qui pouvait sembler privilège, n'était qu'une vieille branche de filaos, maigre comme chatte marrone. Un déclassement de plus.

Antoine-Joseph, qui, du temps où il était maître, semblait

n'attacher aucun prix au « rang », souffrait maintenant d'avoir perdu celui qu'il pensait devoir être le sien. Or, de mépriser ses nouvelles fonctions, de s'adonner au rhum, ne pouvait le conduire qu'à une déchéance plus grande encore : négligées par lui, les franches terres des plats lui furent retirées, puis les moyennes à bon rendement. Ne lui restèrent bientôt à gérer que la rocaille à piment et pois d'Angole, les « argamasses[1] à planter les macaronis et le sel », ricanait la méchanceté du coin.

Plus sa situation baissait, plus son port se redressait. Plus sa déchéance s'affirmait, plus Antoine-Joseph se faisait digne. Une dignité que sa maigreur – de plus en plus nette – accentuait. A la fin de sa vie – mais comment parler de fin quand tout se brise en plein milieu ? –, il était devenu raide en barre-à-mine, sa tête s'était relevée, sa moustache figée en pointes à planches, et, si un métayer osait le déranger pour discuter plantation, son regard te le perçait jusqu'aux tripes. De plus, comme si la parole n'était que compromission, il ne prononçait plus un mot.

L'oncle Calixte, lui, qui n'avait jamais eu aucun rang, continuait de mener sa vie en marge de tout. En dehors de la maison, il ne s'adressait toujours qu'à ses chiens, mais une fois rentré, surtout après la mort d'Antoine-Joseph, son frère, il se rattrapait enfin, devenait intarissable avec les deux seules parentes qui lui restaient, ses nièces, Margrite et Flora. Essentiellement avec Margrite, célibataire et gaie ; Flora, veuve de guerre avant même de devenir adulte, à la tête malade depuis Verdun, triste à ne jamais sourire, se mettant souvent de côté.

Pour la parole, Calixte avait donc changé. De même pour sa mise et le soin qu'il prenait de soi : il passait maintenant de longs moments à se laver à l'eau froide, savon écumant posé à la marge du bassin à monbruns. Il s'astiquait, se frottait. Il

---

1. Aires à sécher le café, ici coulées de lave sous un sol trop mince.

avait troqué son pantalon noir de crasse contre des shorts de toile kaki qu'il lavait lui-même, fréquemment, mais qu'il ne voulait pas que l'on repasse. Ces shorts montraient ses jambes maigres et halées qui se terminaient – même pas sans chaussettes dans des godasses nouées à la gature d'agave – mais toujours pieds nus, comme autrefois. Une barbe de plus en plus longue et de plus en plus blanche, un bretelle de vakoi[1] au dos, une grande capeline sur la tête : voilà le nouveau Calixte, celui que la mort devait prendre.

Et si, la nuit, il regagnait sa roche au beau milieu de la pièce qui la protégeait, le jour, au retour de sa randonnée quotidienne, il investissait avec ses chiens le grand salon complètement vide, que la pauvre Flora avait passé des heures à frotter à la feuille de bringellier pour obtenir un semblant de brillant.

Il s'accroupissait en palabre sur le plancher. Margrite, malgré ses vingt-deux ans révolus, en faisait de même, la robe entassée entre les jambes. Les chiens fatigués s'allongeaient autour d'eux. Flora, derrière la contre-porte, patin de vieux chapeau de feutre et balai de coco en main, attendait qu'ils s'en aillent, qu'elle puisse, enfin, relustrer le plancher. Mais l'oncle n'était pas pressé, il parlait, racontait, commentait...

Après le repas, que Margrite avait préparé et qu'assiettes à la main ils prenaient (sous la varangue par temps de pluie, sous le manguier par bon beau temps), les filles regagnaient chacune sa chambre, et l'oncle – que ses chiens ne lâchaient pas – sa pierre.

Un quart d'heure passait, puis la grande trouille de Flora commençait. Elle se recroquevillait dans son lit avant de se mettre à geindre, la tête enfoncée dans le coussin de kapok qui lui servait d'oreiller. D'abord des geignements étouffés, puis de plus en plus nets. Ces plaintes, dans cette grande maison vide, étaient d'un sinistre, et Margrite ne pouvait supporter

1. Sac de lanières de feuilles tressées.

d'entendre ainsi souffrir sa sœur. Elle se levait alors, venait jusqu'à la chambre de Flora en se dirigeant à la tâte : l'embrasure de la contre-porte, la caisse qui sert d'armoire, le grand montant du beau lit (un peu défraîchi maintenant) qu'ils avaient ramené de Vincendo... Elle s'asseyait sur le bord du matelas, posait la main sur l'épaule de sa sœur à travers les vieilles couvertures.

Flora ne se retournait pas, ne disait rien, mais ses pleurs cessaient. Sa respiration devenait régulière et profonde...

Antoine-Joseph mourut d'un chute de cheval. Il tomba raide et digne, de la trop grande raideur et de la trop grande dignité que l'alcool donne quelquefois aux gens. Le cheval, qui marchait lentement, avait bien retenu le pas à l'instant où il avait senti son maître le quitter, puis il avait repris sa route comme si de rien n'était. Voilà, du moins, ce que Margrite avait su de la mort de son père. Et voilà ce qui lui revenait à cette heure.

Elle aurait pu en être triste. De même qu'elle aurait pu être chagrine de la disparition récente de Gaétan. Mais, y avait-il encore de la place pour je ne sais quel sentiment de malheur, à côté d'elle – assise en préfète ! – sur les coussins de « Pour Cythère... », que Ptit-mé, sortant enfin de sa prostration, conduisait, fier comme Artaban. Tu t'imagines aussi ! Chauffer – seul ! – cette merveille à quinze chevaux et six cylindres, d'un noir brillant comme soulier verni !

Et voilà donc madame la préfète se rendant à son champ minuscule – vautrée qu'elle est sur ses maroquins de maroquinerie, la serpette passée dans la ceinture de toile écrue, le sabre à cannes posé sur les vieux genoux, la gature à fourrage enroulée au fond de son informe chapeau d'homme (comme la queue du Grand-Diable pelotée sous ses plaques brillantes imitant fesses d'or [1]).

1. Les fesses d'or (la fèss an or) : conte populaire réunionnais.

Et, pas si tôt le moteur arrêté que te la voilà sautant de sa limousine, se dirigeant d'un pas décidé vers ces maudits roseaux à sucre, qu'elle se met, sans prendre la garde, à abattre à grands coups de coutelas. Un premier, juste entre les pierres, à la souche même, pour qu'en deux balancements elle puisse le détacher, ce bambou regorgeant de jus ; deux autres, du dos de la lame, pour le dépailler ; un dernier, tout sec : *shiak*, pour en faire voler la tête verte, le galure en plumes de cacato.

Et rapidement la rage te prend, madame la préfète, et tu en fais voler des têtes à plumes. *Shiak* et *shiak*. Sans pitié, sans pardon, sans rémission. Et elles volent, elles volent, elles tombent, à mesure que tu avances, en matelas derrière toi.

Ta coupe, tu l'aurais déjà terminée, Margrite, si ce grand dadais de Grand-gaby n'avait pas signé pour une nouvelle partie de guerre, dans je ne sais quel autre pays. Et toi, qui ne te mêles jamais des affaires des autres, tu lui as dit ce que tu en pensais. Sans crier, mais avec des larmes dans la voix. Il en est resté bouche bée :
– C'est la faute à ma comprenure, Matante : j'ai rien compris à ce que me disait le gendarme quand il m'a tendu le papier.
Et il n'était pas outré de s'être ainsi embarqué, ni ravagé d'ainsi perdre au mieux cinq ans, au pire toute sa vie, ni crevant de trouille et chiant dans sa mauresque de se jeter dans la gueule du maquis. Il était là, un peu désolé que cela fasse mal à « Matante ». Et pour le reste : à la volonté du Bon Dieu qui lui avait donné cette mauvaise comprenure.
Gaby est donc reparti, Margrite, et tu le regrettes. D'abord parce que tu l'aimes bien, malgré ses guerres. Mais avoue aussi, Grite Bellon, qu'un jour comme aujourd'hui, toi de vieille ossaille et de peau fripée, tu aurais bien aimé l'affronter, rang par rang, menée par menée, trimeau par tri-

meau [1], ce géant de muscles à courage. Lui tenir tête : *shiak,* une canne ; *shiak,* une deuxième... Il t'aurait d'abord résisté, une heure et deux et trois, prenant même la chose à la rigolade au début. Mais au moindre clignement d'œil de sa part, tu lui aurais enlevé et la chassie et la prétention de s'égaliser à toi.

Cinq ans ! Dans quel état seras-tu rendue, toi, dans cinq ans, à soixante et dix-neuf sur la tête et sur les reins ? Ptit-mé alors, peut-être, affrontera Gaby, mais toi !...

Ptit-mé... Faudrait-il encore que Ptit-mé aime ! Car, que fait-il en ce moment, sinon, tournevis en main, régler je ne sais quel allumage ou ralenti dont Joseph, son père, dans sa passion de mécanique, te rebattait déjà les oreilles.

Il ne tombe pas la canne en ce moment, Ptit-mé. Mais par le fait, l'important n'est-il point qu'il ne vole sa part, qu'il puisse (après avoir raclé le cambouis de ses doigts à l'écorce du manguier) partager avec toi, cœur clair, le siège de cette roche plate que Gaby a naguère traînée dans l'ombrage de l'arbre. Et que tu puisses, toi, sans réticence et prétextant la saleté de ses mains, dénouer à sa place le torchon à carreaux autour de son garde-repas, en enlever le couvercle, lui tendre son manger, cuiller fichée au riz, et l'entendre s'extasier dans un pétillement de langue :

– De l'œuf frit ! J'adore ça !

1. Menée : sillon ; trimeau : ensemble de trois menées.

4

De derrière ses touffes de « prince de Galles », « queue de poisson » et « farine-la-pluie » – capillaires qu'on lui jalouse et qu'elle a déjà baignées trois fois depuis ce matin ! – Mme Nièl lorgne Grand-mère et Ptit-mé qui s'en vont. Elle aimerait bien déposer cet arrosoir à faire semblant, alibi aux yeux de sa fille, qui n'est même pas là, ne revient d'habitude que vers les midi, mais pourrait débarquer à l'improviste.

A défaut de pouvoir faire comme Margrite avec ce petit-fils qu'elle, Mme Nièl Siméon, n'a pas, qu'elle n'aura jamais, elle aimerait s'avancer jusqu'à la haie de manioc-fleur et là, casser un bon brin de causette avec sa vieille amie, lâcher la bride à sa langue, à sa gorge, rire et blaguer sans malparler de personne, et pourquoi pas malparler de tel ou telle, si après tout ça lui fait plaisir !

Elle aimerait s'échapper de cette prison de trop belles sellettes à fanjans, de trop beaux orchis et cymbidium. Retrouver sa bonne voisine d'avant cette case en dur, ce jambon d'eau, l'Outspan, l'Aronde, le téléphone, et bientôt la télé.

Elle aimerait, mais elle a peur, Mme Nièl. De cette réprimande cinglante – coup de chabouk[1] sans appel –, puis, comme si cela ne suffisait pas, de cet interminable sermon.

Que Grand-mère lui semble heureuse ! Et son Aimé, qu'il est beau ! Ce n'est pas Huguette qui te ferait un petit pareil !

---

1. Fouet à bestiaux.

Elle doit ne conserver l'éveil de ses sens que pour se préserver de la honte de sa mère – qui n'est que créole[1], mange à la main, dit « gousse d'orange » au lieu de « quartier », « la » tunnel, « la » sable et « la » poison ! A penser qu'elle ne réserve le contact de sa peau qu'à l'eau tiède et parfumée de ses bains de reine à n'en plus finir. A croire qu'elle ne garde le courage[2] de son corps que pour cogner ses élèves (« Je lui en ai tellement donné hier à celui-là, que j'en ai encore mal au bras ce matin ! »).

Vrai pour vraiment, Mme Nièl – Mme Maria Siméon, corrigerait la fille, Nièl n'étant que le diminutif, créolisé de surcroît, de Manuel, son défunt mari –, si elle avait la moindre trace de cran, larguerait là ses capillaires-la-pluie et tamarin, ses princes et princesses de Galles, ses orchis, ophrys et vanda. Elle se précipiterait vers sa vieille dallonne[3]. Et, ensemble, à potins que veux-tu, elles te casseraient l'embordure de façon magnifique !

Oui, mais il y avait Huguette et tout ce brassage d'eau boueuse qu'elle ferait, par-derrière. Car, par-devant, Margrite aurait droit à un sourire – à peine pincé – et elle, Maria, à un : « Tu viens maman, j'ai besoin de toi. » Mais au secret de la maison neuve !...

Quand on n'a pas la cuisse ou l'aile, on se régale du croupion, puis, à défaut de viande, il faut faire avec la sauce. Mais toi, pauvre Maria, hume donc ! Mange le fumet ! Marche à l'odeur ! Et bave de les voir ainsi, avançant l'un à côté de l'autre, comme deux amoureux, par le fait. Deux amoureux du temps où l'on savait vivre : en ne se touchant pas, se frôlant juste ce qu'il faut pour se rendre les mains plus moites encore.

1. Un ou une créole : personne de culture créole quelle que soit la couleur de sa peau. Ici adjectif.
2. L'énergie, la puissance.
3. Amie.

Bave, Maria ! Bave de cette bave où caillent l'envie, la jalousie, la frustration.

Margrite voit bien qu'elle se cache derrière ses si beaux fanjans, sa vieille amie. Elle voudrait bien lui faire un bonjour, lui donner – serait-ce ! – un geste, un petit signe de rien du tout. A défaut de complicité, une compréhension... Mais si l'autre – l'insteuteutrice ! comme aurait dit Gaétan – les voyait ! A quoi aurait-elle droit, celle qui a le malheur d'être sa mère et qui a, sûrement, été de trop de tendresse avec elle.

Mais tu ne vas pas, Margrite Bellon, encore tomber dans la pitié ? Avant même que tu ne te poses sérieusement cette question (qui à elle seule suffirait à te gâcher des heures), Ptit-mé – il sait donc tout d'instinct ! – s'approche de toi, s'accoste à peine à toi, te touche à peine. Le bonheur t'envahit, chassant cette vicieuse de pitié – ce rat endormant de son souffle la plaie qu'il ronge et qui arrive à te bouffer la vie sans que tu t'en aperçoives !

S'il te plaît, Ptit-mé, viens donc encore, viens plus souvent te frôler à Grand-mère, que son cœur constamment appelé à toi n'ait plus qu'une place raisonnable pour la commisération et ce qu'elle appelle son devoir. Devoir ! Cette espèce de routine qu'elle tire derrière elle en charrette dégondée depuis plus de soixante-dix ans ! Cette tique à la peau, cette chique sous l'ongle des orteils, ce pou gluant à la mammelle de Dame Caoudin !

Devoir ! Gaétan aurait sifflé son mépris :

– Sssseeeu !

Il aurait sifflé son mépris, mais au fond, il s'y laissait prendre aussi. Pas au degré de Grand-mère, malgré tout ! Suffit, par exemple, qu'elle veuille une journée différente, pour que mille contre-raisons rappliquent, toujours de devoir, jamais de plaisir ou même de fatigue :

– Et ma coupe[1] qui n'est pas finie !

– Mais elle est à deux doigts de l'être.

– Mes animaux qu'il me faudrait quitter à leur faim...

– Quelle faim, Margrite ! Tu as – qu'il te suffit de distribuer à la volée – maïs à volaille, et de la salade à profusion pour tes lapins.

– De la salade ! De la salade aux lapins ! Alors que tant de gens mangent roches et pierres...

– Mais elle a déjà coiffé Sainte-Catherine, ta salade, dis !

– Et la Caoudin ? Elle n'aime pas entendre la grosse et la petite cloche lui résonner dans la panse, Dame Caoudin !

– Mais pourquoi souffrirait-elle de la faim-valle ? Elle a tout son content de fourrage, celle-là.

– Son content ! Avec ces tripes de long qu'elle a ! Et du fourrage, ça, ces trois lames de feuilles de canne sèches qui lui couperont la langue comme rasoir !

– Vous serez si vite de retour. Alors, Dame Caoudin aura son herbe grasse et son fatak, son baba de figue[2]. Elle aura l'eau, le son, le sel !

– Et mon petit cabri...

Rien à faire, Grand-mère s'objectera toujours. A toi donc de jouer, Ptit-mé. A toi de ne pas la laisser se submerger par sa conscience... Ne te faudrait-il pas une ampoule neuve au phare de « Pour Cythère... » ? Un tournevis, quelques boulons... Dis-lui donc à Grand-mère. Dis ! N'hésite pas : tu sais combien elle t'aime ! D'ailleurs y a-t-il plus raisonnable que ce que tu souhaites ?

Et, dès que la coupe sera finie, tu pourras carrément réclamer Vincendo, comme l'envie te revient si fort depuis la mort de Grand-père. Le plaisir que tu lui feras !

---

1. Des cannes à sucre.
2. Fleur ou « tronc » de bananier, qu'on hache finement avant de le donner au bétail.

Comme Ptit-mé a besoin de quelques brics-bracs pour sa
« Pour Cythère... », Grand-mère décide de l'amener les acheter à la ville. Car elles s'enterrent devant une simple parole de
Ptit-mé, les objections. Elles se cachent sous roche, deviennent
vétilles, bagatelles et compagnie – les riens qu'elles sont en
vérité :

La coupe n'est pas terminée sans doute, mais les moulins
tourneront au moins deux mois de plus cette année : combien
en reste-t-il encore, aux autres, de cannes sur pied ? La volaille
a déjà eu son maïs et du nouveau ! De cette salade qui monte
en graines, Grand-mère coupe rapidement trois pieds pour les
lapins, une vingtaine pour Dame Caoudin à laquelle il reste,
d'ailleurs, encore du fourrage d'hier – après tout ne faut-il pas
qu'elle apprenne à supporter de temps en temps sa faim, celle-
là !...

Il faudra bien qu'ils supportent tous : un devoir nouveau –
infiniment plus important ! – a pris Grand-mère : assurer le
goût de vivre à Ptit-mé. Oui, le goût de vivre, car même si le
mot avenir lui vient à l'esprit – un avenir qui pour l'instant ne
se montre qu'en visser-dévisser-desserrer-dégripper, en huile
au carter, en cambouis aux mains –, en deçà et delà de cet avenir possible, il y a d'abord et avant tout le goût de vivre à lui
conserver, développer, redonner, donner ! Elle n'a pas oublié
de quel malheur il a grandi, Ptit-mé. Elle suppose de quelles
souffrances il est l'enfant...

Devoir donc. Devoir ? Et le plaisir dans tout cela ? Mais il
est là, pour une fois, le plaisir, parce que omniprésent. Si pur
qu'il en est joie, si fort qu'il en devient omnipotent : mais où
est ce Piton des Neiges ? que Grand-mère le capote. Et ce trou
ridicule nommé Fournaise ? que Grand-mère le comble. Ces
sept crues ? qu'elle les engloutisse. Ces quatorze soleils ?
qu'elle en mouche les treize inutiles, et sans se resaliver les
doigts.

Pour la première fois ton devoir n'est pas vieux caneçon de vieux gramoune à raccommoder, vieille bouche à nourrir, et en parlant par respect, vieux besoin de vieux à faire faire. Pour la première fois, ton devoir est le bonheur ! Ton propre bonheur, car Aimé ou Margrite, Margrite ou...

Chacun sait qu'il ne faut pas te parler de même sang, de chair Bellon. Ni qu'il te ressemble : nez retroussé, pommettes un peu saillantes, le bon fond, le rire dans le petit malheur. Vous comparer, vous séparer, malgré toutes les ressemblances que l'on pourrait énoncer. Tu es lui, par le dedans. Et comme pour Dieu, toute démonstration est vaine.

Non Margrite, non ! personne ne te dit que tu étais malheureuse du devoir. Être, se sentir être, voilà ton essentiel. Vivre en plaisir ou devoir, la différence te paraissait bien minime. Et si, jadis, la joie te venait – et souvent elle te venait –, elle ne prenait pas sa source dans ton devoir, mais simplement d'être. Et si le plaisir te venait – et il te venait de façon presque permanente – il était de la brise ou du grand vent, du soleil ou de l'ombre, du sec ou de l'eau, de la douceur du letchi ou de l'acidité de cette vavangue que tu grignotes en longueur de temps...

Grand-mère et Ptit-mé attendent maintenant le car, là, à leur ponceau qui franchit la cuvette canalisant l'eau des averses. D'arrêt, point. Où plutôt, autant d'arrêts que de voyageurs : tu lui fais signe au chauffeur et il s'arrête. Mais prends-toi à l'avance, car si le sang dudit chauffeur s'affole par sa causette à la trop jolie fardée qui est venue s'asseoir expressément au strapontin de devant, il ne te voit pas, il passe et te laisse à terre. Mais si tu te montres suffisamment, ou si tu frappes

194

dans tes mains à son passage, ou cries assez fort en lui courant après, il accoste son rafiot un aussi long temps qu'il t'est nécessaire – même celui de retourner mettre tes souliers, ou retrouver ta feuille de jacquier[1] serrée sous le matelas.

A la perspective Newski, monte d'abord (bien entendu à pied) Mme Antoine qui – tous les mercis qu'elle doit au soleil, à sa bonne hauteur dans le ciel ! – peut, derrière son sac à main qu'elle utilise comme prétendu parasol, se cacher de Grand-mère à qui elle doit de l'argent. Elle ne bronche pas, Grand-mère. Si : elle s'en amuse ! Comme le jour où elle avait refusé sa troisième avance à défunt Ptit-coup-de-sec pour un travail jamais commencé :

– Exploiteuse ! On m'avait bien dit qu'il n'y avait pas pire exploiteuse que vous ! Vieille voleuse, va !

Passe aussi – faite de vieux bouts de planche montés sur vieux roulements à billes, à toute allure, dans de grands éclats d'eau et de rire – la petite voiture à trois grands fers-blancs qu'Aristile, treize ans, a lui-même fabriquée. Malgré les feuillages que son petit frère a mis à la gueule des seaux, à pareille vitesse, dans de pareils cahots, on se demande bien ce qu'il pourra bien rester à leur mère pour rincer son linge à la roche à laver !

Trottant dans la pente qui mène à la ville, une jeune famille. Le père est devant, son bras droit est replié portant le trop gros baba ; le gauche est tendu, portant la soubique à serviette-éponge, à biberon d'eau adoucie de sucre. La mère suit, à dix mètres. Elle traîne son souffle court et sa fatigue. A son ventre ballotte un gros résidu de graisse de sa première pleine ceinture, et peut-être un commencement de poussée de la deuxième.

---

1. Billet de banque.

Puis Mme Eugène qui, dans un grand sourire, à Grand-mère :

– En voilà deux amoureux ! C'est la bague de fiançailles que vous allez chercher en ville ?

L'amour ! Ptit-mé en rougit jusqu'aux oreilles. L'amour ! Le traiter d'amoureux, maintenant ! Ptit-mé est déjà, malgré les leçons de Grand-père, de ceux, réservés, honteux à vrai dire, pour lesquels le mot « amour » est interdit (Grand-père aurait précisé fady[1], par une de ses réminiscences étonnées et joyeuses du temps de sa regaillardise finale).

De l'amour, Ptit-mé en parlera, bien sûr, à trente ans. A la buvette de Mane-ti. Pour se moquer, goguenarder, pouffer, s'engaudrioler. A cinquante, d'avoir connu et subi cent fois le baptême du feu, il en plaisantera plus « librement », en termes initiés malgré tout : il parlera des « plus » et des « moins », des « additions sans retenue », du « dé à coudre » et du « doigt de la couturière », du « chas » et de « l'enfilage des aiguilles » ; bref, en mots cul-sus-tête, détournés, dérivés, « propres », puisque l'endroit n'est pas dit, suffisamment nets pour que tous puissent en rire.

Devinez s'il en est gêné, Ptit-mé ! L'amour ! Et Grand-mère qui trouve moyen de sourire ! Ptit-mé ne sait plus où se cacher. Il se tortille, s'entortille, puis, dans un grand mouvement d'audace, fait semblant de chercher je ne sais quoi qui se serait infiltré entre le cuir de la chaussure et la peau nue du pied. Il défait le lacet, le renoue. Dans une audace encore plus grande, il se dirige à l'autre bout du ponceau, se saisit d'une brindille et, toujours tête baissée, gratte de l'incompréhensible, sur le vieux ciment.

Grand-mère, elle, sac noir à son poignet un peu tors, imper-

1. Tabou en malgache.

turbable, attend que la tempête se calme, en veillant au car qui ne devrait pas tarder.

A leur retour, c'est l'agitation du manguier à Caoudin qui alerte, Grand-mère d'abord (malgré cette grosse gêne qu'elle a au ventre et qu'elle cache du mieux qu'elle peut), puis Ptit-mé.

L'arbre tremble, comme si des coups de hache répétés l'ébranlaient. La vache, en silence, donne des tensions sèches de son cou dans la corde qui l'attache au tronc. Si rudement que l'arbre en est secoué. Une fois, deux fois, dix fois, en silence, obstinément, consciencieusement, elle essaie de faire céder, craquer ce maudit licol de chanvre. En vain. Alors, brusquement, perdant son calme, elle se met à ruer en tous sens, à donner de grands coups désordonnés de la tête, à rugir presque. L'écume lui monte aux naseaux, la bave commence à lui dégouliner de la bouche.

Après la révolte, le désespoir : elle se met à geindre, à crier comme un noir à l'échelle. Ses yeux s'exorbitent. Ils pleurent. Puis, voyant Grand-mère, et au lieu de mendier Bon Dieu sait quoi, elle se redresse et se remet – le regard en biais – à flanquer des coups de boutoir à la corde, qui font trembler son manguier-prison.

– Elle crève de faim, dit Grand-mère, comme pour elle-même.

Puis, à Ptit-mé :

« Tu sors vite l'auto et tu vas lui chercher des têtes de cannes. Des fraîches ! Tu les fais simplement sauter au sabre : on coupera les cannes demain. Je lui donnerai de la vieille salade pour lui faire prendre patience. Fais vite. Te... »

Elle va dire : « Te tracasse pas. » Mais elle ne le dit pas, non seulement parce qu'Aimé s'est déjà précipité, mais de peur, justement, que cela l'inquiète. Comme s'il en avait besoin pour se faire un sang de graves et de boue, pour avoir le cœur qui lui résonne dans la poitrine, l'estomac qui se tord.

« Pour Cythère... » fonce déjà vers le fourrage. Au volant, Ptit-mé mort d'inquiétude. L'adulte qu'il commence à être – et anxieux – s'imagine Grand-mère blessée, la voit déjà mourante. Et l'autoculpabilisation qui vient se greffer là-dessus. Puis, courts moments d'espoir aveugle, l'enfant qu'il est encore, la sauve par son héroïsme : la bête, de son front, tente d'écraser Grand-mère au sol, qui, par bonheur, est passée entre les cornes. Grand-mère ne peut plus bouger, elle étouffe déjà. Alors Ptit-mé arrive, saisit à deux mains l'anneau du nez de la Caoudin, le vrille, obligeant la vache à lever la tête, à plier les genoux.

Puis la peur du danger – qui est plus que réel – repousse la déraison. S'accélère encore le cœur qui bat déjà à tout rompre ; s'accroît encore la fébrilité des gestes : les grands coups désordonnés de coutelas à cannes, le fourrement des têtes vertes dans le coffre de la voiture, sur le tapis de sol, sur les coussins même ; s'affole le volant inefficace et dangereux.

C'est d'abord à elle qu'il pense : Grand-mère est morte désarticulée, broyée par cette maudite vache. Elle ne lui sourira plus, ne rira plus, déambulera plus – aisselle serrée qui coince la serpette, rampang[1] de riz à la main, qu'elle grignote à la tomate, à la laize de morue grillée, au piment vert, à la boulette de sucre roux. Elle ne grimpera plus jamais aux arbres, ne fera plus jamais éclater les pétards entre ses doigts, ne jouera plus à la marelle au plancher du salon.

Et lui, Aimé, qu'est-il sans elle ? Que devient, redevient-il ? Ses yeux s'embrument, et dans ses larmes, court l'autre, échevelée, hagarde. Elle crie, hurle. Des hurlements à vous déchirer la poitrine. Petite sœur est là sur le vieux matelas de cretonne sale, entre le vieux coussin qui laisse échapper son kapok jauni, et la serviette-éponge délavée. Petite sœur est toute pâle

---

1. Attache.

et ses lèvres sont bleues, comme si elle avait mangé du jamblong, mais elle n'a rien mangé du tout. Papa est assis sur le bord du lit. Hébété, il n'a même pas de larmes. Et l'autre qui continue de hurler, en courant...

– Une truie, dit la voisine, méprisante. Il n'y a que les truies qui écrasent leur petit en dormant !...

Grand-mère est vivante ! Elle n'est ni blessée ni écorchée, même pas égratignée. Elle a pu donner de la vieille salade à Caoudin qui a retrouvé son calme. Grand-mère, juste un peu fatiguée, s'est octroyé la permission de s'allonger dans la chaise pliante. Avant qu'elle ait pu se redresser, Aimé, pleurant à toutes larmes, se jette à ses genoux. Malgré les caresses à ses cheveux, les paroles de réconfort, ses pleurs ne tarissent pas. Grand-mère, qui aime que Ptit-mé l'aime, mais déteste les larmes et la tournure que prend l'événement, ne peut s'en sortir que par le rire et le mouvement :

– Viens : il est temps de lui donner son repas d'anniversaire à la Caoudin !

Ptit-mé ne termine pas son hoquètement, redresse la tête.

« Eh oui, d'anniversaire : cela fait quatorze ans ces jours-ci que je l'ai achetée...

Grand-mère, qui tente de se relever de la chaise pliante, est obligée d'accepter l'aide du petit (« Pour faire plus vite », elle se rassure).

Tous deux arrivent à la vache :

« ...Tu as vu le collier que je lui ai passé au cou.

Le collier est de chanvre neuf ; il fait un bon pouce de diamètre.

« ...Aucun cadeau n'est trop beau, quand il s'agit d'une bonne amie.

Pendant que Ptit-mé décharge le fourrage, Grand-mère, poignée par poignée, continue de nourrir la Caoudin.

« Tu te rends compte, elle dit – prétendument à la bête, en

fait à son petit, pour l'amuser –, tu te rends compte qu'on te livre en voiture, maintenant ! Je préfère te prévenir que le jour où tu exigeras l'avion, les choses vont se gâter.

Elle rit, Grand-mère, mais lasse, si lasse, elle est obligée de revenir s'affaler dans le pliant. Elle, qui n'a jamais été abattue de sa vie, le prend pourtant à la foutaise, et peut-être n'est-ce que foutaise après tout :

– Me voilà bien, elle se dit, en petit tas dans mon fauteuil, en hibou malade, en volaille à pépie !

Que Ptit-mé surtout n'en soit ni inquiet ni triste. Qu'il aille plutôt, comme la voisine, l'institutrice, l'a demandé, jeter un coup d'œil à son Aronde qui louche du phare droit. Garde-chiourme ou pas de sa mère, elle n'est pas ladre au point de ne pas lui allonger une pièce en retour. Ça n'est évidemment pas pour la valeur, mais qu'au moins Aimé sente un peu la largeur nouvelle de ses épaules.

Ce n'est qu'au revenir du petit, à son sifflet le précédant de la longueur de l'allée, alors que le jour décline, que Grand-mère trouve la force de se lever. Alors, comme blessé en fuite, elle se traîne au plus vite vers la cuisine. Elle verse, vite, vite, deux, trois poignées de riz dans le grand van, a juste le temps de s'asseoir et de commencer le triage avant que son Ptit-mé n'arrive.

Celui-ci trouve Grand-mère levée, à son riz c'est-à-dire gaillarde – comme il souhaite qu'elle puisse être éternellement. Rien ne vient donc troubler la joie de son premier salaire :

– Regarde, Grand-mère. Regarde ! Tu vois qu'elle ne m'a pas volé !

(C'est vrai que Garde-chiourme Nièl n'a pas volé le petit. Elle a même été de trop trop grande générosité.)

« Tu entends comme il craque !

(Grand-mère trouve aussi qu'aucun billet n'a jamais craqué si fort.)

200

« Il doit sortir tout droit de dehors.

Sans conteste possible, le billet est neuf. Aussi neuf que le métier de Ptit-mé. Grand-mère en sourit de contentement.

Son sourire en serait, malgré tout, plus clair si cette douleur ne se développait dans son ventre. Mais quelle douleur ? Qui parle de douleur ? Ce simple froissement des tripes l'une sur l'autre, ce haler-pousser de panse à foie, ce gargouillis de picotement un peu partout dans la koré[1]. On ne va quand même pas en faire tout un plat ! Mais elle sourd, cette saleté de douleur, elle se rassemble, grossit, te prend le pylore, te prend les tripes...

Se courber, rien que se courber, se réchauffer le ventre des deux mains, endormir – ne serait-ce qu'un peu – la douleur par la chaleur des mains...

Mais ne pas affoler Aimé. Ne pas briser sa joie. Tu te rends compte : son premier salaire !

– Remontre-moi ton billet, dis ! C'est vrai qu'il est tout neuf ! Va, va le ramasser sous ta paillasse.

Profiter alors de ces quelques instants devant soi, dans son tout-seul, pour se casser en deux, coincer la douleur entre ses tripes, ses abats. Se donner au moins le plaisir de la serrer au cou quelques secondes, cette saleté ; l'asphyxier quelques secondes.

Mais Dieu de Bon Dieu, que cela fait mal ! En parlant de Bon Dieu, dès que je le verrai – mais je ne suis pas pressée –, je lui demanderai pour quelle raison il nous a fait des tripes, des pylores, des panses et ce qui s'ensuit. Je lui proposerai un modèle plus simple d'être humain, moi, s'il a trop d'imagination !

_____
1. Les abats.

5

L'inquiétude que Ptit-mé avait eue, à certains moments, pour la santé de Grand-mère, rien au matin suivant n'aurait pu la confirmer. Bien au contraire : Margrite, comme si elle débordait d'énergie – et malgré son habitude de ne pas lui casser le sommeil – vint, quoique avec beaucoup de gentillesse, dès six heures, réveiller son petit :

– Lever ! Lever ! Lever ! elle dit en tirant doucement sur sa couverture ; lever ! T'es bien trop paresseux aujourd'hui ! La campagne est presque finie, et nous avons toujours des cannes sur pied. Dépêche-toi.

Dans la cuisine, La grosse tête de roche (servant aussi de porte-cuvette) était toute mouillée, ce qui montrait que Grand-mère avait déjà pris son grand bain. Le riz-chauffé était prêt. Le café coulait lentement dans la petite graigue en tôle naguère brillante du zinc neuf, mais que la proximité du feu avait rendue mate et noire.

Et la petite tasse de Chine, l'exclusive de Grand-mère – une de ses rares manies –, que Ptit-mé avait écaillée hier au soir, était déjà remplacée par une toute neuve identique. Grand-mère s'en était donc acheté une autre, et n'avait pu le faire que ce matin même, avant l'aurore (par le fait, en passant par la buvette de la boutique, entre les journaliers de la canne venus s'humecter le lampas).

– Veux-tu que je te fasse un peu d'eau de café ? elle propose à Ptit-mé.

Et comme celui-ci refuse, elle ajoute, malicieuse :

« Tu préfères peut-être du fort ? T'y as droit, maintenant que tu gagnes toi-même ta vie !

Tout aurait donc été de nature à rassurer Ptit-mé – s'il avait été moindrement inquiet. Mais pourquoi l'aurait-il été ? Grand-mère elle-même se sentait bien. Elle avait pu dormir sans que la douleur vienne l'asticoter. Elle se sentait d'attaque, prête à « en finir », du moins jusqu'à l'année prochaine, avec « ces saletés de bambous d'eau sucrée ».

Mais quand, arrivée au champ, elle vit, quoique dernier carré, quoique cous tranchés – les têtes ayant été servies, hier, à la Caoudin – ces hydres de cannes dont personne ne pouvait avoir le dessus, elle ne put s'empêcher d'avoir un mouvement de recul.

« Mauvais signe », elle pensa.

Ptit-mé ayant sorti du coffre de la voiture le deuxième coutelas (celui de Gaby), venant lui apporter son aide – sans doute malhabile encore, efficace à demi – dans l'abattage de la canne, Grand-mère fut soulagée de voir qu'elle n'était pas seule face à l'ennemi. Autre mauvais signe. Car, en l'absence de Gaby, c'était à elle, à elle seule, de tomber ces maudites badines à sirop. De les trancher, *shiak,* à la souche entre les pierres, de les secouer qu'elles acceptent de se séparer de la mère. De les dépailler, *fiak fiak,* du dos de la lame, et, puisque tête il n'y a plus depuis hier, de tout de suite les lancer, sabre en glissoir, sur le tas espérant la lève pour l'usine.

C'était à elle aussi, maintenant que la coupe était définitivement terminée, de passer à travers le champ et, sous prétexte de fourrage à Caoudin, de faire sauter ces jeunes bourgeons qui avaient l'insolence de déjà sortir de terre, de déjà lancer leur feuillaison.

Puis, elle aurait dû se redresser, contempler l'espace nu

qu'elle avait révélé, goûter le sentiment d'avoir clos le travail, bouclé – autrement mieux que par une Saint-Sylvestre – son année ; apprécier la satisfaction d'avoir à nouveau gagné sur le bambou de grattelle et de lames de rasoir. Mais, cette année-ci, Grand-mère n'avait devant elle qu'un carreau vide. Elle n'était qu'une vieille femme fatiguée devant un champ de rocaille, et plus préoccupée par l'avenir de son petit-fils que d'avoir remporté sur la canne. Et lui, Ptit-mé, joyeux, enfournant dans le coffre de la traction les dernières têtes vertes, les nombreux bourgeons trop précoces, et criant :

– C'est pas aujourd'hui, Grand-mère, qu'elle nous refera le coup du ventre vide !

Bref réconfort que cette joie-là, vite défait par l'absence d'enthousiasme qu'elle avait ressenti quand Ptit-mé – le petit de son petit ! – lui avait rappelé son ancienne promesse de Vincendo :

« Dis, on pourrait y aller, maintenant que la coupe est finie ?

A cette proposition de retrouver – regagner quasiment – son Vincendo à lièvre et fatak et jameroses, le Vincendo de 'Ton Calixte ! elle n'avait trouvé à répondre que des « bien sûr », des « bientôt », et jusqu'à même des « peut-être » ! Dieu soit loué encore que le petit n'en ait pas été trop déçu !

Quelques jours passèrent, puis, un soir que Ptit-mé regardait le ciel au coucher du soleil, y cherchant vainement un rouge cuivré, un pied de vent, annonciateurs de tempête, ce dont il avait entendu les « vieux » discuter le matin même à la boutique, le cyclone lui vint du fauteuil où Grand-mère avait pris l'habitude de se reposer :

– Ptit-mé, elle dit. Voudras-tu bien, tout à l'heure, me donner un coup de main pour lever mon ballot, rouler ma paillasse... (et comme Ptit-mé s'était brusquement retourné vers elle et la regardait désemparé)... Je ne t'ai jusqu'à maintenant rien dit, mais il faut que je change de chambre.

Alors Grand-mère, plutôt que d'entrer dans de longues explications (qui risquent toujours de vous faire pendre par la langue, comme elle avait l'habitude de dire), essaya de s'en sortir par une pirouette, une formule qu'elle aurait aimée drôle :

« La nuit, je ronfle pareil la moucharbon ! Il m'arrive même de jouer de la trompette, en parlant par respect. De faire des vents, si tu préfères.

Et de tenter de se trouver un rire. Pauvre rire : faux comme le père Colâte, aurait dit Gaétan, et plat comme cari de légumes d'eau.

« ... Tu n'as rien remarqué ? Je finirai pourtant par te réveiller. J'ai si peur de te réveiller... Tu vois, je vais me mettre dans la petite chambre de devant, et comme ça...

Ptit-mé ne comprenait rien aux raisons de Grand-mère. La seule chose qu'il retenait, c'était qu'elle l'abandonnait. La petite chambre de devant ! A l'autre fin de cette grande case sans fin ! A quatre, cinq, six pièces de lui ! A je ne sais quelle épaisseur d'obscurité, de nuit. Seul, sans aucune protection contre les loules[1] qui reviendraient hanter, d'abord ses rêves, puis sa vie tout entière. Et parmi les loules, l'autre, qui avait pourtant figure humaine.

Elle avance vers lui, dans sa longue robe noire et luisante de crasse. Que peut-il pour s'en préserver, Ptit-mé ? Rien, sinon se cacher dans la touffe de vétyver – ce qu'il sait faire si vite que la loule n'a pas le temps de le voir. Là, terré dans la poussière brune, dans la grattelle du vétyver, cœur battant à tout rompre, il se trouve le courage de rouvrir les yeux.

---

1. Esprits malins.

Elle est grande. Ptit-mé ne l'a jamais vue si grande. Elle ne hurle plus : elle sourit. Elle parle tendrement à la poupée qu'elle a déguisée en petite sœur. Elle embrasse la poupée, la cajole, lui dit des mots gentils. Elle, qui n'a pas aimé la chair et la vie, dorlote maintenant la cretonne et le kapok mort.

La loule, dans sa fausse et feinte tendresse, se dirige vers la baraque de vieille tôle qui sert de cuisine, elle en ouvre la porte, entre. Ptit-mé quitte sa cachette pour, à travers les trous faits par les clous que le zinc a connus, alors qu'il servait pour la première fois, la voir voler les restes du riz que lui-même a fait cuire.

Après avoir mangé, elle s'assoit sur le tabouret bancal. Elle sort un sein flasque et fait semblant de donner à boire à la poupée. Elle chante d'une voix envoûtante une belle berceuse créole :

> *Fé dodo mon mti baba*
> *Ça zistoir manman*
> *ansanm' papa...*

Ptit-mé sait très bien que c'est lui qu'elle est venue endormir, comme son père, d'un sommeil si profond qu'on ne se réveille jamais, comme petite Agnès qu'elle a ensuite écrasée dans sa torpeur. Il se dirige vers le tas de pierres qu'il a préparé pendant que le riz cuisait. Il en bombarde la cuisine.

– Va-t'en, il crie ! Va-t'en !

Il fait sept fois le signe de la croix. Il crie sept fois « va-t'en » :

« Va-t'en ! Va-t'en !... »

Lui lance sept pierres encore.

La voilà qui sort en courant. Elle fait semblant de protéger de la tête et du bras sa poupée contre la volée de pierres que Ptit-mé, dans la précipitation de sa peur, n'est même pas capable d'ajuster...

206

Comme pour se faire pardonner, Grand-mère – ce qu'elle ne faisait plus depuis que tu étais guéri – vient maintenant, avant de se perdre dans cette immense maison, s'asseoir sur le bord de ton lit. Mais peut-être n'a-t-elle rien à se reprocher, Grand-mère ? Peut-être est-ce toi, Ptit-mé, qui as fait quelque chose de grave. Mais quoi ? Grand-mère est peut-être trop bonne de t'aimer encore, de rester avec toi tout le jour, de venir si longuement le soir. Elle est trop bonne... trop bonne... trop bonne...

Grand-mère dit devoir s'en aller. Ptit-mé lui serre les mains de toutes ses forces, s'accroche à son bras, la regarde en chien battu. Grand-mère en a les larmes aux yeux :
– Il le faut, elle dit. Il le faut. Il faut aussi que tu grandisses. Il faut déjà que tu sois grand.
Puis, sourire émergeant de la brume des larmes :
« Tiens ! Je vais te raconter une histoire.
Et Grand-mère de se mettre à raconter – anecdote plutôt, petit bout de sa propre vie – une de ces histoires qui te font rire quand tu écoutes, et t'attristent quand tu y réfléchis. Sur fond si épais de misère que la houe refuse d'y pénétrer. Mais, quand « morue sèche » devient « j'ai-cru-t'aimer » ou « bardeau[1]-de-bois-maigre » ; quand, souvenir du temps de guerre, on « lui » voit les fesses à travers la rabane[2] ; ou simplement, quand la citrouille-quarante-jours est immanquablement cueillie le trente-neuvième (question de ne pas laisser la marmite bâiller à vide trop longtemps), la bouche en devient idiote et bée de plaisir :
« ... Tout le monde sait que pour ce genre de cari-la-faiblesse, la citrouille par le fait, c'est huile, sel, épices qui lui

1. Latte de bois mince et courte qui sert à recouvrir les maisons.
2. Le raphia.

donnent son goût. Et comme j'en avais très peu qu'il nous fallait payer très cher, je mettais donc en raison la citrouille qui, elle, lianait et fructifiait gratis dans le jardin. Mais pas si tôt avais-je le dos tourné que Grand-père Sylvert se précipitait, et, comme un voleur – imagine les grands gestes désordonnés, les grands coups de couteau maladroits ! – me remplissait ma marmite de ce satané légume d'eau. Ç'en devenait immangeable. Après y avoir goûté, à l'heure du repas, la grimace qu'il faisait, le Sylvert ! Et à chaque fois, il allait vider son assiette au cochon en me disant :

– Le fade ! Je me demande comment tu arrives à manger ça !...

Grand-mère est maintenant partie : personne ne peut plus rien pour toi... Grand-père est mort, Papa aussi.

Papa... déjà de son vivant, il ne pouvait rien contre la loule. Ou il pleurait en silence, ou il prenait sa tête entre ses mains pleines de cambouis. Et quand il relevait son visage tout crasseux, c'était en plus pour lui trouver, à l'autre, de bonnes raisons :

– Ça n'est pas de sa faute, tu sais. Elle a beaucoup souffert, tu sais.

Et puis elle arrivait, verre plein de rack en main :

– Bois ! elle disait.

Sans lui jeter un seul regard, Papa buvait cul sec. Elle le resservait immédiatement. Cul sec à nouveau. Elle le resservait encore.

« Tu vois bien que t'y arrives ! elle disait avant d'éclater d'un rire dément. Pour ça, au moins, tu es un homme !

6

Il n'y a pas plus tenace que la loule : pleurant ou riant, elle revient toujours. Aujourd'hui, elle s'est enfermée avec un pareil à elle – d'apparence humaine – dans la case. On entend leurs éclats jusqu'à la plate-forme où Papa, penché sur l'ouverture d'un capot, essaie de travailler. La clé anglaise tremble entre ses mains. Bientôt l'écrou s'échappe, tombe à travers les dédales du vieux moteur jusqu'au béton taché de l'huile des fuites. Papa ne cherche même plus la pièce perdue. Son cou se met à tressaillir. Ne cesse de tressaillir. Pour se figer, aux moments où leur rire résonne.

L'apparence d'homme sort par la porte de côté, la loule-femme – celle qui a sur vous jeté son dévolu – par la porte de devant. Elle arrive, un verre dans une main, une bouteille dans l'autre. Elle s'approche de papa qui a toujours la tête inutilement penchée sous le capot. Elle verse le rhum jusqu'au ras-bord du verre :

– Tiens, elle dit.

Papa ne bouge pas.

« Si t'es un homme...

Papa lève la tête ; il a le poing serré. Puis, sa main s'ouvre et il prend le verre qu'il vide d'un trait. La loule rit. Elle remplit le verre :

« Tiens !

Papa boit cul sec à nouveau. La loule s'esclaffe. Elle verse à nouveau le rhum. Au lieu de le lui proposer à lui, elle le tend vers toi qui te caches à demi derrière l'aile de la voiture. Alors papa se met dans une colère folle : d'une claque il envoie tout voler. La deuxième claque touche la loule à l'épaule, la troisième... Elle fuit la loule, elle galope, elle a la trouille. Il a gagné, papa. Vous avez gagné !

Mais, alors qu'il devrait la poursuivre, lui donner un grand coup dans le crâne de sa clé anglaise, mieux, de cette manivelle qui traîne – pour en finir, en finir une fois pour toutes –, ton père s'assied sur le vieux pneu de tracteur qui mange tout un angle de la plate-forme. Au lieu d'être heureux d'avoir vaincu, il pleure. Tu viens près de lui. Tu es debout devant ton père qui pleure. Tu voudrais qu'il s'arrête de pleurer, ou alors te réveiller, que ce cauchemar s'achève au plus vite.

Il ne pleure plus maintenant. Il tente de se lever, y arrive à peine. Ses jambes flageolent. Il tombe face en avant sur la plate-forme de béton. Ton cœur éclate. Tu te précipites. Ton père ne bouge plus. Peut-être est-il mort ? L'affolement t'envahit, l'angoisse. Qui aller chercher ? où ? Et la loule qui revient. Sûrement pour toi. Tu fuis, dans le noir. Te cognes aux chambranles, à la contre-porte, aux piliers du salon. Tu hurles d'épouvante :
– Grand-mère ! Grand-mère !

Elle est là, Grand-mère. Lampe à pétrole en main, qui d'un coup éclaire le salon :
– Kossa i ariv aou, mounoir[1] ?
Ptit-mé se serre contre elle, cœur battant, souffle coupé.
– N'aie pas peur ! N'aie pas peur ! Calme-toi !

Grand-mère caresse son petit, le cajole :
– Mais que t'est-il donc arrivé ?
– Rien, Grand-mère, rien.
– Comment, rien !

1. « Qu'est-ce qui t'arrive, mon petit ? »

– Un cauchemar, rien de plus.

Elle a beau avoir la caresse aussi douce que possible, les bras aussi chauds que son très peu de sang le permet, Ptit-mé a beau avoir besoin de ces caresses, de ces bras, il a beau les accepter, qu'il ne pardonne pas à Grand-mère, pas totalement.

Et toi, Margrite, ne vois-tu donc pas l'air buté qu'il a pris ? Ne vois-tu donc pas qu'il te ment ? Ne pressens-tu pas qu'il te mentira bien plus ?

Dès que tu auras fermé sa contre-porte, il se lèvera dans le noir, prendra sa couverture et son oreiller. Il attendra que tu aies regagné ta chambre, alors il traversera la salle à manger, le grand salon, et viendra s'allonger à même le plancher que personne ne cire plus depuis longtemps, le plus près possible de toi, à travers la cloison contre laquelle, en plus, ton lit s'accoste de l'autre côté.

Il fera cela tout à l'heure, et demain, et toutes les nuits.

Et bien sûr, avant le jour, il sera debout, regagnera son lit en silence. Et le tour sera joué, et tu n'en sauras rien. D'ailleurs mérites-tu davantage, toi qui l'abandonnes toutes les nuits, qui le livres à la loule ?

Sur le plancher, contre ta cloison, presque contre toi, rassuré des petits bruits ordinaires venant de ta chambre : tes pas de dernière préparation au coucher, le dernier craquement de ton vieux sommier, il gagnera sommeil à la minute et dormira tranquille. Comme avant que tu le quittes. Pas de ressaut : laminaire. Pas de halètement : mer d'huile. Pas de saccade : pirogue sur mer d'huile. Ptit-mé dort : la loule ne peut plus rien contre lui, ni son rire de bois de rempart [1], ni ses cris perçants, ni ses mains crochues de mère Kal [2]...

1. Poison violent.
2. Autre esprit malin.

211

Mais pourquoi donc te poursuit-elle de sa haine ?

Pourtant ses plaintes que tu percevais, nettement, la nuit, à travers le soufflage de tôle de la case dans laquelle elle s'enfermait seule – elle jette toujours les apparences d'homme au crépuscule, même après la mort de Papa, surtout après la mort de Papa –, ses gémissements de petit chien blessé, de femme souffrante, humains, ils t'émouvaient, te faisaient mal, trop sensible que tu es pour ne pas l'être à la souffrance des autres, fût-ce d'une loule.

Et voilà ces gémissements qui recommencent. Ces mêmes plaintes. Alors meurent les laminaires, naufragent les pirogues, se casse ton sommeil. Avec terreur – une autre terreur, mais combien plus forte ! – tu t'aperçois que les gémissements viennent de derrière la cloison, de la chambre de Grand-mère, de Grand-mère même.

Calme-toi, Aimé, calme-toi ! Essaie de te calmer ! Et puisque tu ne peux faire autrement, va jusqu'à la contre-porte qui brille d'autant de rais de lumière qu'elle comprend de joints. Entrebâille à peine cette porte :

Grand-mère est assise, sur le bord de son lit. La souffrance décompose son visage. Elle est en robe de jour et Ptit-mé pourrait donc ouvrir, entrer. Il n'ose le faire. Le cœur serré, il entrouvre simplement un peu plus. Le bois craque, Grand-mère sursaute.

– C'est moi, Grand-mère, c'est moi.

Ptit-mé !... Vite, vite, Margrite essaie de se refaire une figure présentable. En vain. Elle le sait, recule, mais toujours dans le mensonge :

– Ça fait mal, mais c'est du pas grand-chose, tu sais ! La banane du dessert qui refuse de passer.

Les ombres au sol sont déjà courtes, le lendemain, quand

Ptit-mé, affolé, demande à Mane-ti de faire, au téléphone posé sur le coin du comptoir juste à côté du boulier, appel au docteur. C'est qu'elle ne voulait rien entendre, Grand-mère. Elle ne cessait de répéter que cela n'était rien, qu'elle allait guérir très vite, qu'une bonne tisane d'ayapana, de papaye mâle... Il a fallu que la douleur la casse en deux sur son lit pour qu'enfin elle accepte.

Maintenant que Mane-ti parle à la secrétaire du docteur, le seul vrai docteur, le brun à yeux bleus, le grand docteur jeune à cheveu rare et blanc, le docteur de l'hôpital qui a soigné, guéri Ptit-mé, ce dernier est presque heureux, rassuré pour le moins : dans quelques instants il arrivera dans sa blouse blanche, tuyau d'écoute sur la poitrine, poussera la contre-porte de la chambre. Et de ces bonnes piqûres qu'il lui fera, il remettra Grand-mère sur pied, la rendra de nouveau souriante et gaillarde.

Ptit-mé la retient, Grand-mère ! Elle lui mentait donc pour ce transfert de chambre ! La nuit dernière, avec son histoire de banane, elle a encore raconté le faux. Et si la crise n'avait pas éclaté ce matin, elle lui mentirait en ce moment même. Ptit-mé la retient... Mais elle a fait ça pour lui ! Pour qu'il n'en soit pas inquiet. Tout simplement pour qu'il puisse dormir... Ptit-mé l'aime et lui en veut. Il lui en veut un peu, il l'aime comme ça n'est pas possible.

— Le docteur est déjà parti pour ses visites, dit Mane en raccrochant le combiné.

Il comprend bien l'ampleur de la déception qu'il provoque. Mais a-t-il une autre solution que de dire la vérité ?

S'il est vrai que pour Mane-ti et Ptit-mé « le docteur » n'est pas le même (celui de Mane, comme celui de toute « la Perspective » de défunt Gaétan, le Docteur, l'unique, est le Dr Berg, probablement à cause de ce sirop qu'il a inventé contre la paludéenne ; celui de l'enfant possède la pénicilline, vient lui rendre visite tous les jours dans sa chambre blanche, sourit de ses sauterelles, de ses papillons, plaisante de son grelet, met les mains sur les épaules de Grand-mère et l'embrasse), cela ne change rien au résultat : si Berg est sorti, les docteurs de l'hôpital ont déjà trop de travail et ne font jamais de visite à domicile.

– Madame Gaétan va si mal que cela ?

Bien sûr qu'elle va mal, qu'elle va très mal ! Que peut penser d'autre Ptit-mé, surtout depuis que l'espoir de son docteur s'est envolé.

« Je téléphone au Dr Laken ?

Mane a une hésitation que l'enfant ne comprend pas. Puisqu'il faut à tout prix qu'un docteur vienne, pourquoi pas celui-là, dont il n'a même pas compris le nom ?

« Je téléphone donc ?

Visiblement, Mane ne le fait qu'en désespoir de cause : parmi les cinq ou six médecins de la ville, il ne connaît que ces deux-là, le vrai et puis Laken. Mais puisque madame Gaétan est au plus mal, et que le Dr Berg est déjà parti...

Grand-mère allait un peu mieux – l'ayapana sûrement, fraîchement cueillie, que Ptit-mé lui avait préparée. Elle était assise sur le bord de son lit ; Ptit-mé content, sur son petit tabouret, la regardait, quand le médecin entra. Elle attendait Berg et eut un haut-le corps quand, au tas de graisse poisseux, à la chemise crasseuse s'ouvrant sur un nombril sans fond, elle reconnut Laken. C'était la première fois qu'elle le voyait, mais il correspondait si bien à l'image que tout le monde en donnait !...

Sa première pensée fut pour Ptit-mé, pour mettre son Ptit-mé à l'abri. De rien d'autre que de ce que Laken, de sa voix nasillarde – tel il était dans sa mauvaise légende – pouvait lâcher. Car, lorsqu'il était mal luné, Laken, il t'envoyait bouler le malade, le désespérait un bon coup et s'en allait sans même se laver les mains. N'avait-il pas, pente Antonin, devant madame Ti-zonme elle-même, au mouroir, déclaré à son Ti-zonme de mâle – qui en fut ravi, dit-on – qu'il lui était préférable de se mettre le plus tôt possible eı. cherche d'une nouvelle épouse :

– Mais tu vois bien qu'elle va crever, celle-ci ! Alors qu'est-ce que tu attends !

– Ptit-mé, il faut, tu entends, il faut que tu ailles tout de suite chercher le fourrage de Caoudin, dit Grand-mère d'une voix ferme au petit. Tu prends la voiture et tu vas chercher de l'herbe. Tout de suite !

Grand-mère était prête à subir la condamnation de Laken. Mais qu'au moins son petit n'entende pas. Aussi espérait-elle avec impatience le ronronnement du moteur de « Pour Cythère... » et le crissement du gravier sous ses roues au moment où Ptit-mé passerait dans l'allée.

Quelques minutes s'écoulèrent : rien.

Laken, hélas ! semblait n'avoir pas de temps à perdre : il avait posé sa vieille mallette sur le tapis mendiant du lit, l'avait ouverte, avait déroulé de ses grosses mains fébriles un premier torchon froissé pour en tirer son stéthoscope, un second contenant trois grosses seringues. Alors il redressa sa courte grosseur.

Grand-mère, n'entendant toujours rien du côté du garage, sut alors que Ptit-mé lui avait désobéi, qu'il était là à écouter, probablement à regarder à travers je ne sais quel trou de la tôle.

Le docteur s'éclaircit d'abord la voix :

– Alors ?

Il nasillait. Grand-mère en eut froid dans le dos. Avant

qu'elle ait pu répondre, il lui avait collé son stéthoscope sur la poitrine à travers la toile.

« Alors ? il renasilla.

A nouveau sans attendre la réponse il prit le pouls de Grand-mère. Puis :

« Le Chinois s'est trompé. Il a voulu appeler le prêtre et c'est moi qu'il a dérangé. Vous m'excuserez, mais je n'ai pas apporté l'extrême-onction !

Grand-mère s'était complètement redressée, elle cherchait des yeux quelque chose qui lui aurait permis de frapper, de crever cette panse pleine de merde, de dégonfler cette baudruche qui se disait docteur.

– Dehors ! Dehors !

Laken rabattit le couvercle de sa mallette qu'il reprit comme il put et se replia vers la porte :

– Vous allez péter lof !

Malgré sa fuite – à cause de sa fuite, la voix de Laken devenait imprécatoire, menaçante :

« Au royaume des têtes en os ! La société des sur-le-dos !

– Salaud, cria Grand-mère essayant de le poursuivre.

Lui courait dans un ballottement de graisse et le claquement de ses savates à semelles de bois. Il était maintenant sous la varangue, manqua glisser sur les vieux carreaux en damier.

« Salaud, répéta Grand-mère.

Puis, elle retourna, exténuée, à sa chambre où elle tomba sur le lit.

Sa pensée revint vite à Ptit-mé : « Où est-il donc passé à cette heure, ce petit imbécile ? »

Un pas fit craquer le plancher du salon et se rapprochait lentement de la porte de la chambre. Bientôt il s'arrêta.

« Entre donc, dit Grand-mère excédée.

7

Bouleversé par les propos de Laken, Ptit-mé essaya bien, par deux fois, pendant les jours qui suivirent cette visite, à des moments où Grand-mère ne souffrait pas trop – moments qui venaient comme ça, par hasard, l'ayapana en fait n'y pouvant rien –, d'aborder avec elle ce sujet qu'elle évacua, les deux fois, au plus vite.

– Un fou ! elle dit, la première. Une crasse pareille, quand on prétend soigner les malades !
Et la deuxième :
« Tu ne connais pas l'histoire qui lui est arrivée ?
Grand-mère sait que ce ne sont que bruits qui courent, journal percal[1], radio-trottoir. D'habitude, elle n'aime pas le ragot, mais il faut, non seulement qu'elle se débarrasse de la pierre que Laken lui a mise sur le cœur, mais surtout qu'elle rassure Ptit-mé. Pour cela, pense-t-elle, un grand coup de balai vaut mieux que des heures d'explication, dont elle n'a d'ailleurs pas le courage.
« ...Tu ne connais pas l'histoire qui lui est arrivée ? Il trouve moyen d'être médecin légiste, ce porc. Tu sais : le médecin qui fait l'autopsie des cadavres, qui les ouvre, les découpe pour savoir de quoi les gens assassinés sont morts. Eh bien un jour, il a ramené chez lui le foie d'une femme, pour l'étudier. Il le met dans son frigidaire – que ce foie ne gâte pas avant son ana-

1. Rumeur publique.

217

lyse. Il le met au frigo, bien emballé dans son papier journal, comme un vrai morceau de viande de boucherie ! La bonne, évidemment, la pauvre bonne se trompe. Et le soir même : cari de foie au menu !

– Du foie, Mauricette ! (Grand-mère nasille et abandonne son créole pour le français de Laken.) Est-ce celui du frigidaire ?... C'est bien celui du frigidaire ?... Ben merde alors ! Oh, on n'en tombera pas malade, puisqu'elle n'est morte que d'avoir été battue !

Après avoir mangé sa part et même redoublé :

« Dis, Mauricette ! Tu n'as pas remarqué si ce foie était un peu bleu d'un côté, ou même fêlé, ou s'il y avait des caillots de sang dedans ?

– Le cari l'était pas bon docteur ?

– Très bon, très bon. Mais c'est pour le rapport au tribunal...

Elle rit, Grand-mère, puisqu'elle a raconté pour ça. Elle essaie de rire, mais cette histoire est macabre ! Et la figure qu'allonge Aimé ! Si tu voulais le rassurer, c'est bien à refaire !

Pour le rassurer, Ptit-mé sait bien, lui, ce qu'il faudrait : que l'on fasse venir son docteur ! Quand il verra ces yeux si bleus dans ce visage si brun, quand, seringue à la main, malicieusement il dira :

– J'aurais préféré vous embrasser, Grand-mère, mais vous guérirez plus vite avec ça !

Alors Ptit-mé aura l'esprit tranquille.

Ou encore que, mot pour mot, Grand-mère lui dise, yeux dans ses yeux, que cela n'est rien, qu'elle lui promette qu'elle sera très bientôt sur pied. Ou mieux, sans rien dire, qu'elle commence à guérir pour de vrai.

Voilà justement que Grand-mère propose de l'accompagner chercher le fourrage à Caoudin, ce qu'elle n'avait pu faire ni hier ni avant-hier. Et voilà qu'il aperçoit sur les lèvres de Grand-mère un sourire, léger sans doute, mais vrai !

Grand-mère guérira ! Elle guérit déjà !

Et ce salaud de docteur sale ! Si Ptit-mé le tenait, il lui écraserait la tête, lui crèverait le ventre...

Il est vrai que Grand-mère a souri : une belle embellie au milieu de la douleur lui redonne un peu le goût de vivre. Et puis ne pas démolir Ptit-mé, lui laisser le temps de s'habituer, peut-être même de grandir encore un peu. Deux ans, trois peut-être...

Voilà Grand-mère perdant toute lucidité, qui se met à espérer une longue – la plus longue possible – maladie. Car elle sent bien que Laken a raison, que la carangaise[1] qui a commencé à lui bouffer les tripes ne s'arrêtera qu'à sa mort. Elle souhaite donc qu'il prenne son temps, ce crabe, qu'il goûte en gourmet le festin qu'il s'offre. Et même si l'idée d'un long martyre à endurer lui donne froid dans le dos, elle est prête à tout pour sauver Ptit-mé.

Que ses mains qui arrachent déjà rudement le sornet, que ses bras déjà musclés qui écartèlent les rameaux de mosa, puissent forcir encore plus. Que ses lèvres déjà rondes qu'il vient depuis trois jours si souvent poser sur son front à elle soient prêtes à embrasser autre chose que cette peau frisée de vieille femme. Et ce sourire qu'il lui sourit, qu'il sache faire fondre une autre avec, de son âge cette fois-ci.

Mais, au cyclone, après le calme, revient la bourrasque et le tourment. Quelquefois d'une façon subite. Le calme ici en est paisible. Les premières images en sont pures et nettes (malgré la seule lumière des flammes au foyer) : les marmites du repas du soir sur les marges d'un feu tranquille. La bûche fendue brûlant d'une extrémité, écumant lentement sa sève bouillante de l'autre. Le fer-blanc d'eau de réserve où flotte la pinte à puiser. La suie, les épis de maïs noircis pendant des poutres. La

1. Crabe.

tête luisante de la grosse pierre, vieille compagne. Grand-mère et Ptit-mé assis sur leurs petits tabourets paillés.

Les premiers bruits, aussi faibles soient-ils, en sont limpides : les brindilles craquant dans le feu, le dernier gloussement d'une poule s'embranchant tardivement, un chien qui aboie sur l'autre versant de la rivière...

Ptit-mé voulait redoubler son manger. Tenant à ne pas déranger Grand-mère, il se levait déjà pour se resservir lui-même à la marmite au chaud sur le trépied. Il avait jusqu'à l'intention de se trouver du courage, et, comme ça, en passant, de demander à Grand-mère de reprendre son ancienne chambre, quitte à lui avouer ses frayeurs. Il cherchait déjà ses mots, quand celle-ci s'est levée, s'est cassée en deux, frappée d'une douleur si vive qu'elle en a eu le souffle coupé.

A ce décor, ces gestes, cette précision, la mémoire de Ptit-mé passe au flou le plus complet, à l'oubli total, à la négation : Comment Grand-mère avait-elle regagné son lit ?

Quand ? dans quelle obscurité ? dans quel état ? lui, Ptit-mé, avait-il couru jusqu'à chez Mane-ti ? Avait-il frappé à la petite fenêtre de service pour demander de téléphoner au docteur ? Était-ce l'homme lui-même ou Ma-kin, sa femme, qui lui avait ouvert la porte de la boutique...

Maintenant tu es seul, Ptit-mé, dans le vieux grand salon tout noir. Recroquevillé au sol devant la porte de sa chambre : Grand-mère ne veut toujours pas que tu restes avec elle. Tu l'as, puis la perds, la vois à nouveau, quand les appels d'air – que la brise, qui s'est levée, provoque – entrebâillent, ferment, rouvrent la contre-porte. La lampe à pétrole est allumée sur la petite table de nuit. Grand-mère ne sait plus où et comment se mettre. Elle est roulée, tassée sur son lit, se tenant le ventre à deux mains. Elle s'assoit, puis tente de se lever, fait quelques pas pliée en deux, est obligée de revenir au lit.

Contrecoup des appels de la brise, la porte se ferme. Tu es dans le noir total. Tu te colles instinctivement à la cloison. La douleur est maintenant trop forte : Grand-mère laisse échapper des plaintes sourdes, des petits cris plaintifs, un long gémissement qui n'en finit pas. Chacun de ses cris, chacune de ses plaintes est, à toi aussi, d'une douleur insupportable. Toi aussi tu te mets en tas, sur le plancher, contre la cloison qui ne tient plus que par son vieux papier peint qui se déchire.

Dehors, le vent maintenant. L'archet sinistre du cytise vient grincer une variation ironique et menaçante sur la saille de vieille tôle. C'est la loule. Elle a les cheveux emmêlés de vouls[1] de kapok, de la bave blanche caillée aux coins de la bouche. Elle pose sa bouteille de rhum bien à l'évidence de Papa, sur la grosse roche à laver. Elle fait semblant de partir, rentre dans la maison, ressort dès que son piège a fonctionné : Papa – qui ne fait même plus semblant de travailler depuis que Petite Sœur est morte – est déjà au goulot, assis sur la roche même. Il boit sans prendre respiration. Non, Papa ! pas toute la bouteille, pas le litre plein !

Elle éclate de rire, la loule. Un rire rauque et vulgaire :

– L'homme c'est l'homme, elle dit.

– Tais-toi, répond sourdement papa qui s'essuie la bouche à la peau de son bras.

Il n'a pas lâché la bouteille vide.

La loule vient jusqu'à lui, se colle à son dos, lui passe les bras autour, essaie de lui caresser les poils de la poitrine.

« Arrête !

– Viens, viens me refaire une petite, une belle petite !

Papa se dégage brutalement. Il est debout face à la loule qui a fait quelques pas en arrière. Papa a les yeux injectés de sang, sa main est crispée sur le goulot de la bouteille. Il tuera la loule. Il la tuera. C'est d'ailleurs la seule solution.

– Tue-la ! Tue-la !

1. Chatons.

Mais elle n'a pas peur, la loule. Elle fait front et n'a même pas reculé d'un pouce.

« Tue-la, tue-la. Tue-moi ça !

– Aimé a raison ! Tue-moi !

La loule est presque suppliante, mais cela fait partie de son piège. Papa essaie de lever la bouteille. Il n'y arrive même plus. Le bras retombe ; la bouteille s'échappe, se brise sur la roche à laver ; les dernières gouttes de rhum tachent de sombre la pierre blanchie au jus de savon.

Les jambes de papa cèdent. Il tombe au sol comme une masse. Papa est mort, mort, mort...

On frappe à la porte. Ptit-mé se lève en sursaut, affolé : c'est elle, c'est la loule... Et Grand-mère qui ne se plaint même plus :

– Grand-mère !

Ptit-mé ouvre brusquement la porte de la chambre :

« Grand-mère !

Elle est là, figée sur le lit, immobile, bouche à demi ouverte. Son visage est devenu tout gris ; ses mains sont grises...

Elle est morte, elle aussi !

Ptit-mé crie. Il crie ! Son désespoir, son angoisse.

Mane-ti frappe à grands coups sur la porte :

– Le docteur, j'amène le docteur, ouvre ! C'est le docteur !

Mane-ti frappe sur la porte à la défoncer, il essaie de se faire entendre malgré les cris. Enfin Ptit-mé se tait : il a compris. Il court du lit à la porte.

– Le docteur ?

Ptit-mé pose la main sur la bascule de la porte ; il va l'ouvrir, il...

Le docteur gras et sale. Le patouilleur de foies. Le mangeur de cadavre. L'autre forme de la loule...

Ptit-mé revient précipitamment au lit, à Grand-mère morte...

– C'est moi, le docteur S., le docteur de l'hôpital.

C'est lui, c'est bien lui ! Ptit-mé reconnaît sa voix. Il accourt à la porte, la débascule, l'ouvre. Mais Grand-mère est morte, docteur ! Elle est morte !

« Calme-toi ! Calme-toi !

Déjà, le docteur, le vrai, est au chevet de Grand-mère, lui palpe la joue, lui retourne une paupière, puis, stéthoscope aux oreilles, lui ausculte le cœur.

Pour lui-même :

« Bien sûr qu'il bat !

Pour Ptit-mé :

« Elle est vivante, ta Grand-mère !

– Grand-mère s'est évanouie sous le coup de la douleur, mais la piqûre lui fera beaucoup de bien, a dit, après avoir retiré sa seringue, le docteur à Aimé. Il a ajouté : Tu peux dormir tranquille.

Cela a, sur le coup, calmé le petit. Mais maintenant que le docteur est à la porte, tenant déjà la bascule, presque parti, l'angoisse le saisit à la gorge. Le docteur s'en aperçoit :

« Elle est solide, Grand-mère, tu sais !... Te tracasse pas ! Je te promets d'être là demain vers les dix heures... Et puis tiens...

Il sort de la poche de sa veste un tube, le débouche du pouce, en prend un cachet, le tend au petit.

« ...Avale-moi ça tout de suite.

L'angoisse serre encore Aimé à la gorge quand ce dernier vient se mettre debout au chevet de Grand-mère : le docteur qui a réussi à chasser la loule, à les sortir, tous les deux, de ses griffes, le docteur les a laissés. Et même si Mane a promis de revenir tout à l'heure, Ptit-mé se retrouve seul pour garder Grand-mère dont la maladie fait une proie si facile...

Mais vite, très vite, Ptit-mé a la gorge qui se dénoue, ses tripes se détendent, son cœur cesse de chambouler son sang. Vite, d'autant plus vite que Grand-mère ouvre les yeux, qu'à la place de l'esprit mauvais c'est le pays Vincendo, par sa bouche, qui revient. Et non plus en chambre de mort, mais salle verte de bal : le bambou frais coupé prend la place des chevrons rongés des termites ; la liane Aurore, la fougère d'argent, la liane-un-cœur celle du bordé pourri.

Et puis, au lieu de la loule, voici Flora. Voici Margrite et sa jeune sœur Flora. Dix-sept ans elle a, Flora. Elle est belle à ne pas dire. Rose est sa robe de bal. Malgré sa dernière bouclette de petite fille, elle est femme et femme et femme ! Et lui, n'est-il pas magnifique, son amoureux ? N'a-t-il pas cassé la porte de son armoire et sorti – suprême élégance – la chemise dentelle, le drap cavalier, la cravate moineau[1] ? Et il est bien le seul à n'avoir pas les pieds au bloc dans les souliers vernis ! Mouchoir à la main – politesse des politesses –, il s'incline devant Flora :

– Si la cloche tinte...

Bien sûr qu'elle tinte, la cloche ! Elle carillonne même à toute volée ! Flora en devient toute rouge. Elle se tourne vers Margrite qui seule peut donner l'autorisation, depuis que maman est morte. Elle attend dix secondes, Margrite. Non pas le temps d'entendre craquer leur cœur, mais le délai nécessaire pour que personne n'imagine qu'elle brade Flora ! Et puis, tenez ! prenez-la, votre vie !

Ils dansent. D'abord un peu tendus, un peu trop droits. Puis vite l'aisance leur revient. Ils s'amusent bientôt comme les enfants au vent de la vitesse, comme paille-en-queue dans la brise de mer. Ils rient, plaisantent, tourbillonnent.

Cette première danse est finie. Flora, toujours riant, s'assoit à côté de toi, te prend par la taille et – grande tendresse ! – capule la tête jusqu'à ton épaule. Dieu que c'est bon, le bonheur de ceux qu'on aime !...

L'orchestre en cuivre passe à la scottish. Flora n'épluchera pas d'ail[2]. Déjà dix autres cavaliers se précipitent. Aucun n'a

1. Nœud papillon.
2. Faire tapisserie.

225

la même blancheur de mouchoir au creux de la main, aucun n'a autant de résolution, de calme dans la voix, de générosité. Elle les repousse dans un sourire – trop heureuse pour faire la grimace. Trop heureuse, car il s'incline à nouveau :

– Mademoiselle, si la cloche tinte... ?

– Elle tinte, monsieur.

Elle se lève aussitôt, sans te demander ton avis, sans même se retourner vers toi. Mais qu'importe ! Elle ne fait vraiment qu'être heureuse et il n'y a pas de mal à ça.

Et toi, Margrite, qu'attends-tu pour danser ? Que Flora se marie ? Ne sais-tu donc pas que derrière le gâteau de noces des jeunes sœurs ne se cachent que des veufs à kyrielle d'enfants ?

Celui-là est propriétaire de six valals [1] et de trente-neuf ans – l'âge d'Antoine-Joseph, ton père, qui noiera bientôt sa déchéance et son exil dans des flots de rack. Il se désintéresse tellement de tout, Antoine-Joseph, qu'un conseil même tu n'auras pas de lui. Alors, tu prendras seule la décision, et, au lieu d'une jeunesse qui balance à la tienne, tu choisiras le sommet dépassé, la pente vers l'autre bout, les six culs à torcher...

La soûlaison à pisse ne viendra que quinze ans plus tard.

– Regretterais-tu ton choix, Margrite ?

– Pourquoi veux-tu que je regrette ? Sylvert est un brave type. Il ne m'a jamais battue. Il m'a vite fait un beau bébé – un peu trop vite peut-être. Mais pourquoi regretterais-je ? D'ailleurs, il n'est pas trop tard : je danserai bientôt. Dès que je serai guérie. Et j'aurai le plus beau cavalier, le plus jeune de tous. Il s'appelle Aimé. Il va sur ses treize ans.

Pour la première fois, depuis des semaines, Grand-mère se réveille reposée. Pourtant – et malgré le soleil qui entre déjà dans la chambre – elle aurait bien dormi une heure de plus, mais ce satané lit est trop étroit et Ptit-mé la serre un peu.

1. Criquets.

Mais qu'est-ce qu'il fait donc là, Ptit-mé ?

Grand-mère ne se souvient pas lui avoir donné le droit de venir dans son lit. D'ailleurs la question ne s'est jamais posée. Elle ne se souvient pas de sa venue. Par contre d'avoir eu très mal, hier au soir. Et puis elle se réveille et Ptit-mé est là.

– Dis, Margrite, elle pense – et cette plaisanterie la fait sourire –, pour la première fois que tu dors avec[1] celui dont tu es vraiment amoureuse, tu ne vas pas chercher midi à quatorze heures ! Ou pire lui en vouloir.

Grand-mère, en se levant sur son coude, s'aperçoit que son petit est bien près du bord. Elle se met précautionneusement sur le flanc, qu'il ait un peu plus de place.

Dans son sommeil, il tourne maintenant son visage vers elle. Ce qu'il est beau ! De la beauté de Flora, le jour de son premier bal. Ce bal, ce soir de bal, pourquoi revient-il, à l'instant, à sa mémoire ? Comment a-t-il pu se dégager et refaire surface, enseveli qu'il était sous cinquante ans de caleçons à laver, de maniaqueries de vieux – un vieux et puis l'autre –, de petits – et de grands – malheurs ?

– Oh, Margrite Bellon ! tu te mets à ruminer alors qu'une jeunesse pareille est dans ton lit !

Grand-mère voudrait bien sourire de ce prolongement de plaisanterie, mais le mot « jeunesse » entraîne immédiatement le mot « avenir ». Et ce dernier – même si Ptit-mé en occupe le centre, parce que Ptit-mé en occupe le centre – la ramène à elle, à sa maladie. Qu'elle en mourra, cela ne lui fait, autant qu'hier, aucun doute. Mais Dieu lui donnera peut-être – et d'ailleurs ne se sent-elle pas en ce moment bien dans son corps – le temps de le faire grandir encore, son petit. Juste, juste ce qu'il faut pour qu'il ait un bon commencement de muscle et de moustache, et son bon métier qui lui donnera autant de

---

1. Dormir avec = coucher avec.

sosso[1] qu'il lui faudra. Un arrière-petit-fils ? Dis, Margrite Bellon, n'en demandes-tu pas trop ! Et qu'il soit aussi beau que son père dont tu ne cesses de frôler délicatement les cheveux !

Une heure peut-être, peut-être deux, Grand-mère passe à contempler, à caresser son petit, à se pousser un peu sur le côté pour qu'il ait sa place, à lisser le drap devant ses narines pour qu'un faux pli ne vienne gêner sa respiration.

Voilà que les paupières de son Aimé palpitent. Elles battent doucement, s'ouvrent.

– Te voilà, toi, Grand-mère dit.

Ptit-mé sourit et puis redevenant grave – immédiatement :

– Il est déjà passé ?

– Qui donc ?

– Le docteur.

Et comme Grand-mère semble étonnée, il ajoute :

« Le docteur de l'hôpital ! Tu as oublié ? hier ?

Ptit-mé est ravi et jusqu'à fier d'apprendre l'incroyable à Grand-mère :

– Je me demande comment Mane-ti a bien pu faire, mais il a réussi : notre docteur est venu. Il t'a fait une piqûre. Il doit même repasser ce matin.

Une piqûre ! Voilà donc la cause de cette – non pas douleur, non pas gêne – simple présence inconnue au pli du bras que Grand-mère regarde maintenant, qu'elle frotte avec le doigt. Une piqûre ! Et si cette dernière n'est pas la raison de ton mieux-être, et si cette douleur à crier ne te reprend pas tout à l'heure, tu ne t'appelles plus Margrite Bellon !

Grand-mère est déçue au point de ne pouvoir réprimer une grimace. Ptit-mé, qui n'en comprend pas la cause et s'imagine Grand-mère se trompant encore de docteur, s'en offusque presque :

« C'est celui de l'hôpital, je te dis !

1. Bouillie de maïs. Avant tout pour les enfants. Tour que les Réunionnais emploient plaisamment pour désigner leur riz quotidien.

Puis, il exulte :

« ... Il te guérira ! Je suis sûr qu'il te guérira !

Les douleurs ne revinrent que vers onze heures. Grand-mère et Ptit-mé avaient encore un peu paressé au lit, ce qui n'était jamais arrivé à l'un comme à l'autre – tous les deux bien de ce pays où un seul verbe existe pour « se réveiller » et « se lever » comme si les deux actions étaient indissociables.

Grand-mère avait donc paressé au lit. Par tendresse – non pour elle-même, comme elle se le disait – mais pour son Ptit-mé que les circonstances, en toute honnêteté bien entendu, avaient amené sous sa couverte. Et elle avait osé, Grand-mère, recommencer à lui caresser – dans son éveil à lui ! – ses cheveux, son cou, sa joue. Et ce petit effronté avait osé lui rendre la pareille ! Ce qu'elle en était heureuse, la vieille. Mais puisque le docteur allait venir, il fallait qu'ils sautent du lit, que Ptit-mé prenne son goûter du matin, qu'ils se préparent.

Grand-mère s'était donc levée presque comme si rien n'avait été. Elle avait tourné pour son Aimé un œuf dans l'huile brûlante, lui avait fait griller une grosse banane sous la cendre. Puis, après lui avoir demandé de sortir, elle s'était baignée en aussi grand que lui permettaient trois renouvellements de sa cuvette d'eau froide posée en équilibre instable sur la tête de la roche à Calixte.

C'est dans sa chambre, au moment où elle se penchait pour refaire son lit, qu'elle reçut ce coup de poignard dans le ventre.

Il leur fallut – à elle et à Ptit-mé qui ne vivait plus derrière sa cloison, car elle ne prétendait toujours pas qu'il la vît souffrir – subir une heure encore avant que le docteur n'arrive... Grand-mère était sur le point de s'évanouir à nouveau sous le coup de la douleur, lorsqu'il entra dans la chambre.

La vieille avait les yeux hagards, les mâchoires serrées. Le docteur lui passa légèrement la main sur le front, plus par humanité que par recherche de symptôme. Elle ne put – ne serait-ce qu'en levant son regard vers lui – le remercier de son geste. Alors, sans perdre de temps, le docteur prépara la piqûre...

Grand-mère revint rapidement à la clarté de la conscience.

– Cela fait très mal, dit le docteur, parce qu'il fallait bien qu'il commence par un bout.

– Très mal, oui, répondit Grand-mère dont les yeux s'affolèrent quand elle vit son petit, près de la porte sans doute, mais dans la chambre même et l'ayant entendue.

Le docteur, alors, demanda à Aimé de bien vouloir sortir :

– J'ai besoin d'être seul avec ta Grand-mère. On en discutera après.

Sa douleur se calmant rapidement, Margrite se mit à plaisanter.

– C'est un siguide[1] ou un médicament, votre piqûre ? Si c'est un médicament, l'emballage aurait intéressé le vieux raisonneur avec lequel je viens de vivre dix ou quinze ans : il ne croyait qu'en la science et qu'en lui-même ! Vous ne pouvez pas savoir combien la petite boîte bleue de votre pénicilline l'a fait rêver.

– « Ma » pénicilline. Vous savez, je ne suis pas le Dr Fleming.

– Sans vous, il était mort dix fois, mon Aimé !

Une immense reconnaissance remontait au cœur de Grand-mère. Plus l'effet de la piqûre se faisait, plus elle avait du mal à retenir ce flot de remerciements que sa bouche ne demandait qu'à déverser sur le médecin.

1. Pratique magique.

« Vous me l'avez sauvé et bien sauvé, docteur. C'est grâce à vous qu'il est devenu si beau !

Et puis, dans un grand regret :

« Moi qui aurais tant aimé le voir grand !

– J'aimerais mieux essayer de trouver ce que vous avez, répondit assez fermement le docteur.

Bien qu'elle ne se fît aucune illusion, Grand-mère ne protesta pas : elle ne voulait pas, par trop d'attendrissement sur son propre sort, enquiquiner le Dr S. – qui venait en plus de son travail l'aider, elle, à qui il ne devait rien, même pas le bonjour et le respect. Alors elle plaisanta, rit de sa plaisanterie. Elle répondit de bonne grâce à toutes les questions qu'il lui posa. Et sans fausse pudeur lui montra même à mi-cuisse cette plaie qui suintait le sang sur tous ses bords :

– La mère de mon eczéma, elle dit au docteur.

– Si cela pouvait être vrai ! répondit-il gravement.

Ptit-mé avait évidemment l'oreille collée au vieux papier peint de la cloison. Mais le docteur et Grand-mère s'entretenaient à voix basse. Il ne put donc entendre réponse à la question qui l'obsédait : guérirait-elle ? Il n'eut, au rire de Grand-mère, qu'une courte rémission à son inquiétude.

Après, le docteur resta près de dix minutes avec lui tout seul dans l'allée, mais Ptit-mé ne put avoir la certitude qu'il voulait, au contraire :

– Tiens ! Quand elle souffrira trop, tu lui donneras un cachet. Attention : pas plus de trois par jour, sinon... c'est la mort.

Rien que d'entendre ce mot à propos de Grand-mère !... Et puis : « Quand elle souffrira ! »... Et mis à part ce calme-douleur, pourquoi ne prescrivait-il aucun médicament ?

A peine le docteur avait-il franchi le ponceau que Ptit-mé revint à la maison en courant, traversa vite le salon, mais doucement ouvrit la porte de la chambre, entra sans bruit, vint avec précaution s'asseoir sur le bord du lit.

Grand-mère avait les yeux fermés, sa respiration était pourtant celle de l'éveil. Ptit-mé lui caressa la main comme pour lui demander de se réveiller tout à fait. Grand-mère ouvrit les yeux :

– Mon petit, elle dit, heureuse. Allonge-toi encore auprès de moi.

9

Le docteur est revenu. Il y a combien ? – une semaine de cela, neuf jours peut-être. Cette fois encore, tu n'as eu, Ptit-mé, la réponse à ton immense inquiétude. Pire, cette visite semble – du moins dans un premier temps – n'avoir fait que du mal à Grand-mère. Cette souffrance physique à n'en plus finir qui la tenaille ! Et morale à n'en pas parler pour toi. Souffrance que seuls les cachets que tu lui donnes entre-coupent, pour elle et toi, de calme et de repos.

Mais trois cachets par jour, pas plus ! Alors que faire quand la douleur la saisit à l'heure de la dernière étoile et qu'il te faut attendre neuf heures – marquées au passage du car – pour lui donner le premier calmant du matin !

Puis, mercredi de bonne heure, Grand-mère t'a demandé d'aller chercher Mane-ti. Ils se sont longtemps parlé en secret. Maintenant Grand-mère va mieux, elle a retrouvé son calme, elle est souvent presque détendue. Elle parle de plus en plus – même en dehors des cachets – de ce Vincendo à fougères, à fatak, à lièvres, à fraîcheur de ravine. Tu mets cela au crédit des médicaments que le docteur avait prescrits, dont Grand-mère ne t'avait même pas parlé, et que, l'après-midi même de sa visite, Mane est allé chercher en ville.

Il vient tous les jours, votre ami. Il s'assied longtemps sur le bord du lit de Grand-mère. Preuve de l'affection qu'il vous porte, il parle devant vous de Ma-kin, sa femme, en l'appelant par son petit nom gâté : Kin. Il vous apporte à manger. Des plats que lui-même prépare : du riz cantonnais, des sautés de viande et de légumes, de la soupe chinoise. Grand-mère goûte toujours à tous ces plats. Elle en mange un très-peu, ne fait souvent qu'y becquer. Elle t'en propose : elle insiste pour que tu en prennes. Et tu as tellement de bonheur de voir qu'elle va mieux, que toi aussi tu te remets à manger. Un peu.

Et puis ce matin, Grand-mère te dit qu'elle accepte l'hôpital ! Et tu apprends, ainsi, que le docteur le lui avait conseillé, qu'il lui a trouvé une place, que lui-même s'occupera d'elle ! Tu en es tout exalté :
— Il te guérira ! A l'hôpital, il te guérira !
— Tu sais : ma maladie est grave, Grand-mère dit.
Tu ne peux l'entendre :
— Il te guérira, j'en suis sûr !

Avant d'entrer à l'hôpital, pour se donner « un grand coup de courage » – c'est du moins ce qu'elle raconte à Ptit-mé (« Il en faut, tu vois, pour quitter cette maison. Sais-tu que, jeune fille, j'ai dormi dans ce petit lit pendant des années, que cela fait trente ans que j'y dors à nouveau ! ») –, Grand-mère veut revoir le Vincendo de sa jeunesse.
Lundi matin (lundi, car Grand-mère ne voudrait pas, samedi et dimanche, jours de grand débit, obliger un commerçant à laisser sa boutique : « mais ça n'est pas si long, deux jours, et l'hôpital patientera bien »), lundi, Mane-ti se mettra au volant de « Pour Cythère... » (« il faut le permis, pour aller si loin ! ») et les amènera tous deux jusqu'à Vincendo. Au retour, pour ne pas perdre de temps, il la confiera tout de suite au Dr S., avant de rentrer en compagnie de Ptit-mé.
— Tu vois comme cela s'arrange bien ! dit Grand-mère.

Cela s'arrange si bien qu'Aimé, tout à sa joie, n'a même pas remarqué que la voix de Grand-mère était devenue rauque, qu'elle avait même failli se nouer en cours d'explication.

Mane-ti, qui tous ces derniers jours a aussi régulièrement apporté de la paille à Caoudin – corvée que Ptit-mé trop faible ne pouvait plus faire –, est venu aujourd'hui accompagné de Marcel, le frère de Gros-gaby. Ils sont venus prendre la vache. Connaissant son mauvais caractère, ils l'ont appâtée au fourrage frais et ont pu l'emmener sans difficulté aucune. Grand-mère, qui ne se levait presque plus, a eu la force de venir la voir partir sur le pas de la porte. Elle a eu l'air d'en être chagrinée. Elle a écouté le bruit des fers sur l'asphalte jusqu'à sa fin. Puis, aidée de Ptit-mé, elle a regagné son lit.
    – Tu l'as vendue ? finit par lui demander le petit.
    – Bien sûr que non, répond Grand-mère malgré son trouble. On la met simplement en pension, le temps de...
    Et puis, pour changer de conversation :
    « Tu as vu cette ingrate ! Elle a suivi le Marcel sans même tourner la tête vers nous. Cette soi-disant tête brûlée de Caoudin qui suit le premier z'habitant [1] venu, et pour trois branches de mosa ! Elle ne vaut guère plus qu'un Vivano-la-flamme ! »

L'heure est arrivée de partir pour Vincendo.
    L'embarquement en est pénible : Grand-mère est visiblement émue. Et cette garce de Mme Titoine qui vient, d'abord sur le ponceau, puis carrément au milieu de l'allée, pour mieux jouir du spectacle de cette « pauvre madame Margrite » que le « Chinois » prend dans ses bras pour la déposer sur le coussin arrière de la voiture de « défunt monsieur Gaétan » :
    – Ma fille, cancanera-t-elle bientôt à toutes les commères du

1. Paysan.

quartier, le petit portait une mallette, une soubique pleine et un gros oreiller ! Il s'est mis à l'arrière à côté d'elle... C'est à se demander où ils allaient !

« Pour Cythère... » démarre en douceur. Grand-mère, la main crispée sur l'épaule de Ptit-mé, se retourne sur la « Perspective » jusqu'à ce que le virage lui rende vain ce retournement. Elle a une larme aux yeux et puis :
– Tiens ! Donne-m'en un demi. Je veux pouvoir tout regarder sans que la carangaise vienne me déranger. Un cachet entier me ferait dormir.
Et comme Ptit-mé hésite, Grand-mère le rassure :
« Si tu me donnes l'autre moitié vers midi, je n'aurai pas pris plus qu'il n'en faut.

Grand-mère est maintenant bien calée à l'angle de la portière sur l'oreiller. Elle a attiré son petit contre elle. Si elle ne l'avait pas fait, lui-même serait venu spontanément. Comme au lit – quand le cachet ne l'emporte plus et que la souffrance n'est pas encore de retour –, Grand-mère le caresse. Elle commence par ses cheveux – elle adore ses cheveux épais et noirs comme graines de longanes. Lui, immédiatement, embrasse de Grand-mère tout ce qui passe à sa portée : les doigts, le bras, la joue. La joue, quand il se cambre en retournant la tête en arrière et qu'elle baisse la sienne vers lui.
Mane les voit dans le rétroviseur. Va savoir ce qu'il en pense. Peut-être rien, après tout. Peut-être en est-il ému.

De s'aimer ainsi n'empêche pas Grand-mère et son petit de regarder ensemble, par la glace, la vie que « Pour Cythère... » fait défiler. Ptit-mé s'étonne de tout, qu'il commente pour Grand-mère : des champs de rocaille à piment, des troupeaux de bœufs gagnant par leurs propres pattes les abattoirs du sud,

236

des petits marchands de zourites[1] qui, des bords de la route, tendent – à frôler presque les carrosseries – leur marchandise gluante en direction des voitures qui passent :

– Tu as vu celui-là ! Son zourite était tellement grand que les bras en traînaient dans les gravillons !

Vincendo arrive – Vincendo, Grand-mère ! Ton Vincendo ! Tu te redresses autant que tu peux. Comme tu sais que tout change – et pour ne pas être déçue –, tu avais accepté, imaginé le pire des bouleversements, te disant qu'un rien resterait qui t'enchantera : si pas la couleur du ciel et la densité de l'air, au moins cette domination sur la mer, cette si ronde ligne d'horizon !

Mais rien n'a bougé, mis à part l'absence de la famille Bellon et la fin de ses prétentions de posséder le Paradis Terrestre. L'horizon est là bien entendu, si courbe qu'on se demande toujours comment poupe et proue des grands bateaux passant au large arrivent à toucher la mer en même temps ; l'air est aussi neuf ; le bleu du ciel aussi franc ; la ravine, ses fougères et zambrozades, que le chemin – presque un sentier obligeant « Pour Cythère... » à marcher au pas – longe, est telle quelle.

De la haute cheminée carrée de basalte noir qui émerge du flot des jeunes cannes – et dont tu sais très bien, Grand-mère, qu'elle est abandonnée, aucun de ces petits établissements n'ayant résisté à la « concentration » – on ne peut même pas dire que la fumée lui manque : la campagne sucrière n'ouvrira que dans neuf mois.

Et cet homme précédé de ses roquets, short de kaki, bertelle au dos, qui avance à son pas, se souciant comme de son chiffon de pieds de la voiture qu'il gêne, ferait un Calixte tout à fait acceptable avec un peu de stature et vingt bâtards de plus ! Vingt bâtards ? Grand-mère ne s'arrête pas à ces détails !

1. Pieuvres.

C'est Calixte, ou la réincarnation de Calixte. Grand-mère en est tout abasourdie.

La maison est toujours debout, à peine plus délabrée que l'autre que tu viens d'abandonner : elle a sûrement été entretenue et habitée jusqu'à récemment. Mais la maison ne t'intéresse que peu. La pierre, par contre !... Le cabanon qui l'abritait a disparu... Mais elle est là dans l'ombre d'un petit manguier qu'un noyau, probablement jeté par hasard, a donné.

La pierre à chiens !

Tu ne ris pas, ne souris pas, n'éclate pas de joie malgré l'autre demi-cachet : l'heure est trop grave et trop belle. Tu es comme hébétée de bonheur.

Mane-ti a arrêté le moteur, ouvert ta portière ; il t'a prise dans ses bras, comme on porte un enfant qui dort. Il t'a posée sur la saisie [1] que Ptit-mé a déroulée aux pieds mêmes de ta pierre. Écartant l'oreiller, tu y appuies ton flanc, ton bras. Tu t'y appuieras la joue quand personne ne te verra et quand le seul problème qui se pose encore à toi, non pas – comme à d'autres – draps blancs et robe noire, voire rhum et café pour le veille (pour toi il n'y aura pas de veille), mais l'avenir de ton Ptit-mé, sera résolu.

D'abord tu éloignes ce dernier, puis poses à Mane-ti, pour réponse maintenant – il a eu le temps d'y réfléchir depuis mercredi – la primordiale seule question :

– Tu t'occuperas de lui, n'est-ce pas ?

Il acquiesce d'un long balancement de la tête. Ils ont, lui et Kin, longtemps discuté de cela, plus pour conforter leur décision que pour la prendre : en absence réelle et définitive de tout parent – la seule vraie objection venait de là, car pas question qu'on l'adopte et que je ne sais quelle femme-désordre vienne ensuite le déchirer, vous déchirer en faisant valoir « ses

1. La natte.

238

droits », mais Kin a lu et relu et soigneusement rangé les deux certificats de décès – en l'absence de tout parent, ne sont-ils pas les plus proches voisins (l'institutrice, garde-chiourme de sa mère, n'étant pas à compter) ? Et peut-il être question, un seul instant, d'envoyer à la population [1] un garçon...

– ... si gentil ! dit Ma-kin...

– ... tellement gabier [2] et démerdard, complète l'homme...

– ... qui a tant souffert...

– Il remplacera ce couillon de Ti-mao, ton fils unique, qui a préféré aller faire son « Grand Bond en avant » à Shanghai !

– Mon fils ! Bien sûr que c'est mon fils ! Je ne le renie pas, moi ! Et d'abord il finira bien par revenir, mon fils. Et puis si tu n'avais pas ces idées-là, il ne les aurait pas non plus, mon fils ! Et puis ce n'est pas de ma faute s'il est unique et si je ne peux plus en avoir d'autres.

Kin pleure. Son homme ne voulait pas. Il n'aime pas quand elle pleure. Il les aime, elle et ce grand flandrin de leur fils. D'abord Mane se tait. Attend. Ne fait qu'appeler la fin des pleurs. Puis essaie de trouver quelques mots d'excuse, quelque demande de pardon. Kin renifle, s'essuie les yeux :

– Quand doit-elle entrer à l'hôpital ?

– Elle a dit lundi. Elle a dit qu'elle n'en sortira pas vivante...

Grand-mère savait qu'elle pouvait compter sur ce petit bout de femme frêle, un peu triste de Kin (qui lui a rendu tous les services possibles) et sur sa demi-portion de bâtard chinois de mari (qui n'a jamais su jeter les ananas trop mûrs de son commerce, sous prétexte que les donner c'est casser la vente). Grand-mère savait qu'elle pouvait compter sur eux. Mais elle

1. L'assistance publique.
2. Adroit.

ne remercie pas. Un merci ne reconnaît que l'acte, pas les sentiments. Elle se contente de dire à Mane qu'elle a vu grandir :
— Tu as toujours été un bon garçon !

Elle demande aussi qu'il lui tende la soubique de vakoi. Elle voudrait y prendre le calmant caché sous les biscuits et le chocolat – seul repas prévu pour le onze heures. Elle aurait voulu mais ne peut pas. Mane le fait à sa place. Il lui tend le tube qu'elle serre dans sa main.

— Trois cachets par jour. Plus, c'est dangereux. Plus, c'est la mort.

Mais as-tu décidé, Grand-mère, de profiter de ta « Pierre à chiens » pour plier bagage ? De la force qu'elle sécrète comme mamelle, de la sérénité de Calixte sur qui repose ta tête, de la chaleur de la meute, pour passer le pas ?

Oseras-tu, Margrite Bellon, obliger Ptit-mé à te soulever froide et rigide ? Lui imposer un long trajet enveloppé de cadavre, ton cadavre ? Oseras-tu détruire en lui à jamais Vincendo ? Faire de la « Pierre à chiens » pierre tombale, son calvaire ?

Non, Margrite ne fera pas. N'est-elle pas venue à leur Vincendo pour donner aussi à son Ptit-mé une dernière belle journée de bonne vie, de tendresse ? Non, pas de gaieté : elle ne présume pas ainsi de ses forces, mais son petit trouvera lui-même sa propre gaieté si elle semble détendue. Margrite cache simplement dans son sac à main, pour après, le tube. Pour après...

Ses doigts maigres et fébriles n'ont pas le temps de boucler le fermoir avant que Ptit-mé n'arrive. Elle tient donc collées, comme elle peut, les deux lèvres de son sac. Sans rien dire, Mane-ti s'approche, met un genou en terre, ferme le sac.

Ptit-mé revient radieux de sa ravine. Tout est aussi beau, aussi bon que Grand-mère l'a décrit : l'ombrage frais des arbres, les fougères habillées de serein, le clapotis de l'eau :

240

– Trois tourterelles sont venues se baigner, là, à mes pieds !
Un merle est venu boire ! Tu te rends compte !

Ptit-mé ramène aussi des jameroses qu'il tient en grappes à
la main :

« Elles sont bonnes comme tu peux pas savoir ! Tu en veux ?

Grand-mère accepte. Et pas seulement pour faire plaisir à
son petit. Retrouver, après plus de cinquante ans – elle en a
mangé d'autres dans sa vie, mais aucune qui puisse prétendre
au même nom – retrouver le goût de la vraie jamerose !
Grand-mère approche, tremblant un peu, le fruit de ses
narines : cette odeur de mouche à miel et de rhum marron !
Grand-mère déchire maladroitement la sphère tendre et
creuse entre ses doigts. Puis, après avoir repris ses forces, en
porte une chiquette à sa bouche. Rien n'a changé, ni le goût de
ses jameroses, ni son goût à elle. L'espace d'une seconde
Calixte revit de sa vraie vie. Il les met tout entières dans sa
bouche, lui, et puis se crache dans la main la grosse graine. Et
paf, d'un jet précis, il rappelle à l'ordre Médor qui sort les
crocs à un pauvre gamin, ou Sultan, toujours en tête et toujours indiscipliné, qui tente de prendre la direction du village
et non celle de la forêt.

Grand-mère sourit. Aimé en profite pour venir sur le coin
de la saisie, aux pieds de Grand-mère, se coller contre elle et
contre la pierre.

« Il te guérira ! Je suis sûr qu'il te guérira !

– Il fera tout ce qu'il pourra. Mais tu sais bien que cette
maladie que j'ai se soigne difficilement.

Grand-mère, malgré la gravité de son ton, est presque
contente, du moins soulagée que Ptit-mé lui offre à temps l'occasion de lui donner une conscience plus claire de la situation.
Elle se voyait déjà au perron de l'hôpital, sur fond de tout-va-
très-bien, lui prodiguant ses ultimes conseils de mourante.

Elle cherche donc quelques mots – plus elle ne pourrait pas
– qui engagent son petit dans la vérité, sans pour autant tuer

en lui l'espoir. Pas celui de la voir guérir – l'idéal serait que celui-là meure – mais l'espoir tout court.

Ptit-mé semble comprendre sans s'effondrer. A l'hôpital, ne restera donc plus, à Grand-mère, qu'à embrasser longuement son petit, qu'à lui retaper un peu la chevelure. Mais dira-t-elle ce « je t'aime » qu'elle ne lui a jamais dit ? Elle lui dira. A moins qu'elle n'ait peur que sa gorge serrée la trahisse.

10

La maison de Mane-ti et Ma-kin, c'est d'abord la boutique. D'abord, pour la première raison qu'il faut de toute façon la traverser pour accéder au reste. Au mur, derrière le comptoir, les boîtes de sardines Robert, de corned-beef, les litres de rhum, de punch « Jolie-fille », de Tomango. Sous le comptoir en vieux bois patiné, à travers les vitres de deux grandes portes coulissantes, la modeste vaisselle à vendre, quelques statues de Bons Dieux, des clous et tenailles, des cahiers, les premiers stylos à bille. En face, caissons à riz et grains. La vitrine elle-même, qui donne sur la Perspective – devant laquelle le bâtiment a quand même pris quelques mètres de recul –, se cache presque toujours derrière des panneaux de bois doublés de zinc.

Le reste se résume presque à cette assez grande cour d'arrière-boutique : entrepôt à poutres d'Afrique et de Sumatra – vingt poutres tout au plus – sous la tonnelle de raisin noir et de barbadine ; cuisine sous la tôle ondulée ; salle à manger sous le jamblong qui, dès le mois de mars, vous bombarde de ses fruits d'encre violette, tellement que Mane est obligé de secouer l'arbre, de nettoyer table et banc avant que Kin et lui s'y asseyent, ensemble, pour les repas – eux deux tout seuls depuis la décision de Ti-mao.

La petite salle de bains au sol de béton glacé, les trois chambres en dur – celle des parents, celle du fils, enfin la dernière destinée au vieil oncle venu pour un mois d'une autre boutique, à la jeune sœur débarquant pour ses trois jours d'oral, au jeune cousin en goguette jusqu'à vendredi soir – ont été secondairement collées à la trop petite maison reconvertie en commerce.

Ma-kin, tout en raclant au hachoir la bille de bois sur laquelle elle a préparé sa viande pour le dîner, remarque que, malgré l'heure avancée, « il » – elle est trop réservée pour déjà l'appeler Ptit-mé – n'a pas encore éteint l'ampoule électrique de la chambre. Peut-être ne dort-il pas encore ? Où peut-être un simple oubli ? Peut-être a-t-il peur du noir ?... Quoique économe, Ma-kin n'est pas à quelques francs près de courant. En tous cas pas aujourd'hui, pas ce soir.

Voilà : Ptit-mé a presque tout fini le riz que lui avait tiré Ma-kin – sans doute assez peu, mais elle ne voulait pas le forcer. Il a mangé son fromage rouge et banane – comme Grand-père avait l'habitude de le faire : un petit cube de l'un, une rondelle de l'autre.

Voilà : il s'est savonné et rincé sous cette pomme d'arrosoir d'où gicle l'eau et qu'on appelle « douche » d'après Mane-ti. Il a enfilé le pyjama que Ma-kin a elle-même brodé aux idéogrammes de son fils.

Voilà : il est allongé sur ce petit lit, dans cette petite chambre – la chambre du fils – aux murs couverts des épis gigantesques et dorés sortis tout droit de *La Chine en construction.*

Après un dernier pincement au cœur pour Grand-mère seule et si loin, Ptit-mé assommé de si mal, si peu dormir depuis des semaines, a gagné le sommeil. Il dort...

Et toi, Margrite, sur ton lit d'hôpital, le tube caché sous ton oreiller, tu attends. Tu attends que vienne le courage d'ouvrir ce tube, d'en verser le contenu dans ta main : cinq, six, sept cachets – mais trop de sang ne te battra-t-il pas les yeux et la tête pour que tu puisses, même machinalement, les compter ?

Tu as la conscience tranquille : cette souffrance que tu pouvais voir dans le regard de ton petit, quand la douleur commençait à te dévorer les tripes – après, cela devait être pire –, avais-tu le droit de la lui imposer encore ? Jusqu'à sa folie ? N'en avait-il pas déjà des moments, quand, hagard, se prenant la tête entre les mains, il fuyait le lit de ta propre souffrance pour – inéluctablement – y revenir, fuir à nouveau, revenir encore ? Et ces jours sans manger, ni boire, ni se laver ?

Ma-kin sera une vraie mère pour lui (quand à Mane-ti, plus brave, tu trouveras pas !) Sous l'arbre à Caoudin – ma Caoudin ! – plus tard, quand il sera grand, il pourra faire sa mécanique. S'il a besoin d'outils, même les plus chers, il pourra vendre le champ...

Voilà... L'heure tourne. Malgré l'approche, tu as le cœur tranquille. Sagesse de ta grand-mère indienne ? Peut-être. Sûrement dernier effet du cachet de cet après-midi ? Aussi d'avoir tant et tant souffert et de savoir qu'elle reviendra cette satanée souffrance. D'avoir fait tout ce que tu pouvais pour ton Aimé. Tout et plus, et ne serait-ce qu'accepter ces murs froids, ce lit froid où d'autres sont morts avant toi, pour ne lui imposer, ni ta fin, ni ton cadavre.

Le cœur tranquille ! Tu dis avoir le cœur tranquille ! Crois-tu ! Et ce regret qui, tout d'un coup, te prend, de perdre Aimé ! Toutes ces années – dix, quinze, vingt peut-être – que tu aurais pu vivre avec lui, d'abord le guidant, puis à ses côtés, puis dans son ombre. Tout ce bonheur que ce fichu mal te vole.

Une peine immense t'envahit, de quitter celui qui fait depuis trop peu, hélas ! toute ta vie. Tu ne liras plus dans ses yeux brillants d'intelligence, pétillants de malice, s'écartillant de curiosité – sa joie de vivre. Tu n'auras plus son rire, sa voix que la mue en cours fait si émouvante en multipliant les faussets. Tu ne sentiras plus ses caresses – les premières de ta vie ! – sur tes mains, tes bras, ton cou... Aimé, ton Aimé...

Vas, quitte Aimé tout de suite. Ça n'est pas lui qui te donnera la force de passer ce dernier cap. Pense à Flora plutôt, à l'oncle Fernand, à Antoine-Joseph. C'est à eux que tu appartiens désormais. A Calixte. Prends la force en Calixte ! Repose déjà ta tête sur la corne de ses pieds nus. Colle ton vieux ventre, tes vieilles cuisses, ta vieille plaie, à la chaleur de sa pierre. Y puise ce courage.

Le voilà, lui, ce premier déchirement au ventre, ce premier arrachement ! La voilà cette torture ! Mais ce soir, elle ne te fait pas peur, celle-là. Qu'elle vienne, au contraire ! Elle est la bienvenue ! Elle seule – sans elle tu es perdue, d'ailleurs ta décision n'a plus de sens – te permettra de vider le contenu du tube dans ta vieille main, d'avaler ces cachets l'un après l'autre.

Alors tu t'endormiras, pour la sauvegarde de ton petit.

Et si, pour le repos d'Aimé, sa sauvegarde même, tu te trompais ? Si au lieu de l'aider à gagner le calme, l'équilibre nouveau, tu le poussais à l'enfer ? Si, à l'heure de le confier à Mane-ti et Ma-kin, tu le livrais à la loule ? Car ça n'est pas parce qu'il ne t'en a jamais touché mot qu'elle n'existe pas. Elle sévit bel et bien. Elle rapplique déjà, malgré la lampe qui brûle à vide :

La plaie au bras maigre de Ptit-mé s'est gonflée comme gomme de pêcher après la pluie. Le bras entier est un dépôt dont le pus sourd puis dégouline. Alors que la fièvre devrait monter, la température descend de minute en minute.

Ptit-mé est seul. Il a eu ce tantôt la force de se traîner des broussailles qu'il habite jusqu'à son ancienne maison bordée de vieille tôle, entourée de ces carcasses de vieilles voitures – l'actuel repaire de la loule. Il s'est assis sur la grosse pierre qui sert de perron. Il n'est déjà plus qu'un sac trop vide pour tenir tout seul. Il s'affaisse en un petit tas sur ce perron de fortune.

Elle arrive, l'autre. Elle s'est, comme cela commence à devenir une habitude, déguisée, ornée de tout ce qui lui tombe sous la main. Elle a un énorme collier de liane fleurie qui traîne au sol derrière elle, une vieille capeline dont elle a déchiré la calotte en se l'enfonçant dessus dessous sur la tête, une seule botte à peu près blanche qu'elle a récupérée à je ne sais quelle décharge.

Elle vient s'asseoir juste à côté de Ptit-mé sur le perron.

Il ne l'a pas vue. Il ne voit d'ailleurs plus rien. C'est le coude de la loule levant la bouteille de rhum qui, en le jetant au parterre abandonné autour de la maison, lui indiquera sa présence. Il n'a même plus assez de vie pour en avoir peur. Mais s'il se refroidissait, là-bas, dans cette semi-inconscience, il transpire, ici, sur le plancher de la chambre où il est tombé. Si, là-bas, c'était la torpeur, c'est ici l'agitation. Son pyjama à idéogrammes est déjà tout trempé. Son cœur lui bat jusqu'au dos. A l'indifférence d'alors, l'angoisse de maintenant : la loule toujours sur son perron le fixant de ses yeux avides.

Viennent alors à ton cauchemar, Aimé, des scènes jamais vues, juste enregistrées au milieu de cette fièvre à l'envers : la loule, qui a laissé s'échapper la bouteille vide, tente de venir à toi, elle glisse, s'affale, se relève à demi. Elle s'allonge, réussit à coller sa tête contre ton épaule. Elle geint, elle pleure – elle pleure toujours quand elle a vraiment trop bu...

Puis cette masse qui t'écrase le bras, qui te broie le corps tout entier. Et puis plus rien...

Des voix maintenant, rien que des voix :
– Voilà maintenant qu'elle a étouffé le fils !
– Tu préviens le maire, qu'il se débrouille avec les corps.
– Dis donc, le petit bouge encore.
– Il est glacé !
– Il bouge, je te dis.
– Elle, alors ?
– Tout ce qu'il y a de plus crevé !

Ptit-mé se lève en sursaut. Il s'assied déjà sur le bord du lit. Alors qu'il devrait rire – la loule est morte et lui libéré ! – les larmes lui montent aux yeux. Sa poitrine est secouée de sanglots.

A la table sous l'arbre aux fruits d'encre, le docteur est assis. Mane-ti lui a servi à boire. Au whisky offert, le docteur, las, très las, ce matin, a préféré un doigt de rhum, du blanc qu'on sert aux journaliers. Mais Mane-ti a pris des verres tout neufs dans la vitrine, que Ma-kin a savonnés et rincés. Elle les a même essuyés, avec, en guise de torchon, une serviette brodée ramenée de son voyage de ressourcement, en Chine.

Le docteur est donc venu : il fallait bien lui dire la triste vérité, à Ptit-mé. Mais voilà – sans doute a-t-il parlé trop fort – qu'il a déchiré inutilement ce gamin, qu'il sanglote maintenant.

Le docteur ne sait trop quoi faire. Laissant son verre auquel il n'a même pas goûté, il se dirige vers la chambre. Les sanglots s'arrêtent alors qu'il est à quelques pas de la porte mal rabotée. Ptit-mé, les yeux gonflés, sort. Le docteur lui tend la main, et puis l'attire vers lui, l'embrasse :

– Elle m'a dit l'autre jour que tu étais grand. Il faut que tu sois très grand. Elle s'est simplement endormie. Nous n'avons pas pu la réveiller. Elle ne souffre plus.

Grand-mère ! Ce choc ! Lui qui pensait qu'elle allait guérir ! Mais Ptit-mé se redresse, essuie la dernière larme : que le malheur ne le trouve que droit et debout. Grand-mère aurait fait ainsi ! Grand-mère ! C'en est trop pour Aimé. Ses jambes ne le portent plus. Elles cèdent. Il tombe.

Quand il ouvre les yeux, Ma-kin lui appuie fortement un coton à la saignée du bras où le docteur vient de faire une piqûre. Ce dernier a déjà rangé sa seringue. Il faut qu'il s'en retourne à l'hôpital. Aimé veut se lever à nouveau. Il se lève, au grand effroi de Ma-kin.
   – Couche-toi, le docteur lui dit, la main sur l'épaule. Couche-toi : la piqûre va maintenant te faire dormir. A ton réveil, je serai là.

Table

IMPRIMERIE HÉRISSEY À ÉVREUX (EURE)
DÉPÔT LÉGAL : SEPTEMBRE 1990. N° 11179 (51418)